Vagabondages
au Québec…

Œuvres parues

ROMANS
- LA VRAIE VIE DE TINA LOUISE
  Libre Expression, Montréal, 1980
  Typo, Montréal, 2004
- VADEBONCOEUR
  Acropole, Paris, 1983
  Libre Expression, Montréal, 1995
- LES AVENTURIERS DE LA NOUVELLE-FRANCE
  Belfond, Paris, 1996
- MARIE-GODINE
  Libre Expression, Montréal, 1996
  Québec-Loisir, Montréal, 1997

TRILOGIE
LA NAISSANCE D'UNE NATION:
- THÉRÈSE
  VLB, Montréal, 2004
  Québec-Loisir, Montréal, 2004
  Anne Carrière, Paris, 2005
  en poche:
  Les éditions Bibliothèque Québécoise
  Montréal, mars 2009
- MARIE
  VLB, Montréal, 2005
  Québec-Loisir, Montréal, 2005
  Anne Carrière, Paris, 2005
  en poche:
  Les Éditions Bibliothèque Québécoise
  Montréal, octobre 2009
- ÉMILIENNE
  VLB, Montréal, 2006
  Québec-Loisir, Montréal, 2006
  Anne Carrière, Paris, 2006-11-16
  en poche:
  Les Éditions Bibliothèque Québécoise
  Montréal février 2010

SÉRIE
LE QUATUOR DE MONTRÉAL
- LETENDRE ET L'HOMME DE RIEN
  Fides, Montréal, 2008
  Québec-Loisir, Montréal, 2009
  (finaliste pour le meilleur roman policier 2009)
- LETENDRE ET LES ÂMES MORTES
  Fides, Montréal, 2009

RÉCITS
- QUATRE MILLE HEURES D'AGONIE
  Québec-Amérique, Montréal, 1978
- MON AMI SIMENON
  VLB., Montréal, 2003
- PROMENADES DANS QUÉBEC
  VLB., Montréal, janvier 2008
- L'HISTOIRE VIVANTE, Québec et sa région
  En collaboration avec l'historien Jacques Lacoursière,
  (prix des bibliothèques du Québec 2008)
  Éditions de l'Homme, Montréal

DOCUMENTS
- LES PETITES CRÉANCES, COMMENT S'Y PRÉPARER
  Éditions de l'Homme, Montréal, 2004
- LE DIVORE SANS AVOCAT
  Éditions de l'Homme, Montréal, 2006
- LIQUIDER UNE SUCCESSION
  Éditions de l'Homme, Montréal, 2009

ÉDITIONS DE LUXE
- L'ÂME DE QUÉBEC, janvier 2008
  Photos de Claudel Huot
  Éditions de l'Homme, Montréal

Pour en savoir plus
sur l'auteur:
www.pierrecaron.com

Pierre Caron

Vagabondages au Québec...

Visites émotives de **50 villes** et **villages** de **chez nous**

Une compagnie de Quebecor Media

Infographie: Chantal Landry

03-11

Dépôt légal: 2011
Bibliothèque et Archives nationales du Québec

ISBN 978-2-7619-3026-0

DISTRIBUTEURS EXCLUSIFS:

Pour le Canada et les États-Unis:
MESSAGERIES ADP*
2315, rue de la Province
Longueuil, Québec J4G 1G4
Téléphone : 450 640-1237
Télécopieur: 450 674-6237
Internet: www.messageries-adp.com
*filiale du Groupe Sogides inc.,
filiale du Groupe Livre Quebecor Media inc.

Pour la France et les autres pays:
INTERFORUM editis
Immeuble Paryseine, 3, Allée de la Seine
94854 Ivry CEDEX
Téléphone : 33 (0) 1 49 59 11 56/91
Télécopieur: 33 (0) 1 49 59 11 33
Service commandes France Métropolitaine
Téléphone : 33 (0) 2 38 32 71 00
Télécopieur: 33 (0) 2 38 32 71 28
Internet: www.interforum.fr
Service commandes Export – DOM-TOM
Télécopieur: 33 (0) 2 38 32 78 86
Internet: www.interforum.fr
Courriel: cdes-export@interforum.fr

Pour la Suisse:
INTERFORUM editis SUISSE
Case postale 69 – CH 1701 Fribourg – Suisse
Téléphone : 41 (0) 26 460 80 60
Télécopieur: 41 (0) 26 460 80 68
Internet: www.interforumsuisse.ch
Courriel: office@interforumsuisse.ch
Distributeur: OLF S.A.
ZI. 3, Corminboeuf
Case postale 1061 – CH 1701 Fribourg – Suisse
Commandes:
Téléphone : 41 (0) 26 467 53 33
Télécopieur: 41 (0) 26 467 54 66
Internet: www.olf.ch
Courriel: information@olf.ch

Pour la Belgique et le Luxembourg:
INTERFORUM BENELUX S.A.
Fond Jean-Pâques, 6
B-1348 Louvain-La-Neuve
Téléphone : 32 (0) 10 42 03 20
Télécopieur : 32 (0) 10 41 20 24
Internet: www.interforum.be
Courriel: info@interforum.be

Gouvernement du Québec – Programme de crédit d'impôt pour l'édition de livres – Gestion SODEC – www.sodec.gouv.qc.ca

L'Éditeur bénéficie du soutien de la Société de développement des entreprises culturelles du Québec pour son programme d'édition.

Nous remercions le Conseil des Arts du Canada de l'aide accordée à notre programme de publication.

Nous reconnaissons l'aide financière du gouvernement du Canada par l'entremise du Fonds du livre du Canada pour nos activités d'édition.

Sommaire

À ceux de mon bonheur, Christiane,
Pierre-Alexandre, Julie et Dahlia,
Olivier et Stéphanie

PRÉFACE

Des histoires à l'Histoire

Grâce à son excellente mémoire et à ses multiples déplacements à travers le Québec, Pierre Caron nous présente ses *Vagabondages*, ou rappels personnels. L'Histoire et la description de la situation actuelle des lieux qu'il visite composent beaucoup plus que de simples textes, comme en écrivent les journalistes spécialisés en tourisme. Ses vagabondages n'ont rien d'une errance désordonnée. Au contraire, l'auteur choisit avec attention les lieux et les faits, récents et anciens, qui sont pour lui source de mémoire, de comparaisons, de plongées dans notre passé. Il réussit avec brio à établir des liens entre ses histoires et l'Histoire.

Lorsqu'il visite Charny, n'écrit-il pas : « À force de mêler ma vie à l'histoire, il arrive que certains lieux me fassent revivre des événements auxquels je n'ai pourtant pas participé, mais que j'ai si exactement imaginés qu'ils me semblent faire partie de ma mémoire » ?

Villages, villes et autres lieux sont une occasion pour Pierre Caron de revisiter des pans de son passé, un passé que nous partageons tous. En effet, ses souvenirs d'enfance, qui ressemblent étrangement aux miens, sont, par voie de conséquence, ceux de la majorité d'entre nous. Qui n'a pas vécu ces balades hebdomadaires où le paternel en profitait pour nous donner un cours d'histoire ?

Ce qu'il y a de particulier chez Pierre Caron, c'est sa préoccupation de tout relier au passé. Ses romans les plus importants reconstituent des moments charnières de notre histoire. Pour ce faire, il a dû effectuer le même genre de recherche que moi – une démarche d'historien, quoi !

Comme l'ont remarqué plusieurs de ses lecteurs, les textes qui composent le présent recueil nous font voir les lieux qu'il décrit avec un regard qui navigue du présent au passé. À sa manière, établissons des liens entre nos souvenirs et le moment où ils se sont incrustés dans notre mémoire. « Le besoin constant que j'ai de m'égarer dans mes souvenirs est un exercice qui m'a permis d'identifier le premier moment de ma vie qui s'est logé dans ma mémoire », écrit-il.

Jacques Lacoursière

Mot de l'auteur

Les lieux de mon enfance et de l'histoire

Revenir sur son enfance, c'est déjà se rapprocher de l'Histoire. Et quand, au bout d'une vie, nous retournerons sur les lieux successifs où elle s'est jouée, pour peu que nous aimions notre pays et ses gens, au détour d'une simple promenade ou d'un vagabondage non prémédité, nous revenons à l'essence des générations qui nous ont portés et des expériences qui, subtilement ou inconsciemment, continuent de nous modeler le cœur et l'esprit.

Pour moi, le pays (la patrie à laquelle on appartient par sa naissance), c'est d'abord par mon père et ma mère qu'il m'a été révélé, à la faveur des villages ou des villes où ils se sont installés ou que, tout simplement, ils m'ont fait découvrir. Il s'est dévoilé dans ses grandeurs et ses misères, présentes ou passées, tel que me l'ont raconté mes aînés. C'est par le biais du cercle familial que j'ai appris sur le tas l'histoire des gens d'avant, et cela m'a semblé aller de soi.

Au fil des ans, ce monde s'est ouvert à moi à l'occasion de multiples autres rencontres. Ce fut le temps de l'école, du pensionnat, de ma vie professionnelle et de la vie tout court, ailleurs. Comme bien d'autres, je me suis éloigné des racines communes pour planter les miennes. Il n'empêche... Chaque fois que je me promène dans le vaste pays de mon enfance, je redeviens le petit garçon un peu contemplatif qui ne cessait de poser des questions pour en connaître le qui, le pourquoi, le quand et le comment. Comme autrefois, une fois la réponse acquise, je ressens un grand contentement.

De là mon goût pour les vagabondages.

Cap-Rouge

Notre histoire commence à Cap-Rouge

C'est à Cap-Rouge que j'ai vu débarquer le printemps. Après tant de jours gris, enfin, en ce dimanche d'avril, il a jailli de toutes parts, se coulant avec une certaine volupté dans l'étroite vallée où niche cet arrondissement de Québec à la situation si distinctive. Le soleil avivait la bonne humeur manifeste des promeneurs qui déambulaient, l'air paisible, près du fleuve sous les piliers du « tracel », le plus élevé et le plus long (un kilomètre) des viaducs ferroviaires de ce type au Québec, et dont je m'amuse à croire qu'il a été tendu entre les parois de la vallée pour les retenir…

Vivre une première à Cap-Rouge, tel le jour *Un* du printemps (pas celui du calendrier, mais du climat…) s'accorde bien avec l'histoire. Car je ne crois pas qu'il y ait au Québec un seul lieu ayant connu tant de premières historiques.

Ainsi, c'est à cet endroit, se partageant sur un cap de roches aux tons rouges et sur les rives qui portent son nom (Cap-Rouge), qu'eurent lieu les deux premières tentatives de colonisation en Nouvelle-France.

D'abord, en 1541, par Jacques Cartier lors de sa troisième expédition. À la tête de quelques centaines d'hommes – l'espion espagnol Santiago parle plutôt de 1500 hommes, ce qui n'est pas invraisemblable vu qu'il y avait cinq navires –, il fit labourer le sol d'Amérique pour la première fois. Chassé par les Iroquois et n'y laissant que des morts, le Malouin finit par déserter les lieux, alors nommés Charlesbourg-Royal. En 1542, Jean-François de La Rocque de Roberval renouvela l'expérience et rebaptisa l'endroit France-Royal. Son contingent de colons récolta la première moisson de notre pays.

Ce sieur, ex-corsaire et courtisan de François Ier, avait usé de son droit de justice afin d'éviter à l'amiral Paul Aussillon de Sauveterre des poursuites au criminel pour avoir tué le matelot Laurent Barbot le jour de Noël 1541. Le document relaxant le seigneur de Sauveterre constitue le premier texte officiel de notre histoire.

La chronique continue. L'hiver suivant, au cours duquel le scorbut emporta le quart des nouveaux colons, le sieur de Roberval fit par contre ériger une potence à l'intention de Michel Gaillon, dont la condamnation pour vol valut à celui-ci le triste honneur d'être le premier pendu de la Nouvelle-France.

L'histoire de Cap-Rouge est plus riche encore : elle croise celle du premier empereur des Français, Napoléon, qui taxait très lourdement le bois importé de la mer Baltique, forçant l'Angleterre à se procurer ailleurs qu'en Europe le matériau nécessaire à la construction de ses navires. Cette situation favorisa Cap-Rouge : dès l'année suivante, un nommé Philemon Wright fit descendre, depuis la rivière des Outaouais, des tonnes de bois destiné aux Britanniques. En quelques années, d'importants « trains de bois » menés par les *raftmen* se succédèrent ainsi dans l'anse et justifièrent la création, en 1853, de la « Compagnie des jetées, quais et bassins du Cap-Rouge » qui devait enrichir James Bell Forsyth, fondateur du domaine Cataraqui de Sillery et père du premier maire de Cap-Rouge, Joseph Bell Forsyth.

Lorsque déclina ce commerce, les frères Henry et William Atkinson, de riches marchands surnommés les « barons du bois », établirent un chantier naval au pied de la côte qui aboutit près de la grève. Ils y construisirent des vaisseaux à très fort tirant d'eau, tels le *Thomas Wallace* en 1825, le *Harriet* en 1826 et le *Guina* en 1838. À marée basse, à proximité du pont Galarneau, on peut toujours voir les vestiges d'une longue jetée en pierre témoignant de cette époque.

Cap-Rouge, ce n'est pas seulement l'histoire ; c'est aussi un décor qui confine au ravissement. Pour s'en convaincre, il n'y a qu'à emprunter le chemin de la plage Saint-Laurent, s'étirant sur deux kilomètres et demi entre le fleuve et la falaise et que bordent des propriétés de goût, à fière allure, dont les abords, déjà, sont prêts à accueillir les premières fleurs du printemps.

Cap-Santé
Plaisirs de la table et des yeux

Si j'aime être ailleurs, à vrai dire, voyager me rebute. Sauf en train : le confort et le calme y sont tels que je m'imagine chez moi dans mon fauteuil favori. Pour pallier le déplaisir des déplacements, lorsqu'il me faut franchir des distances, j'essaie de transformer ces moments en aventure agréable, voire captivante.

C'est dans cet état d'esprit qu'il y a quelques années, alors que je devais me rendre à Montréal depuis Québec, j'ai choisi d'emprunter le Chemin du Roy (sur la rive nord). L'heure du dîner arrivée, je me suis arrêté à Cap-Santé dans un modeste restaurant, à l'origine de l'Auberge de Cap-Santé. J'ai vécu là une étonnante expérience gastronomique : un repas d'une qualité comparable à celle des meilleures tables du Québec. Pour couronner mon régal, le chef m'a proposé une pointe de sa tarte au sucre en me mettant au défi : si elle ne me comblait pas, je n'aurais pas à la payer… Le dessert était si délectable que d'en refuser le coût aurait été une véritable filouterie de ma part.

Une fois repu et satisfait, j'ai entrepris de me promener dans le village, l'un des plus beaux du Québec et dont je connaissais assez bien l'histoire.

Peuplé à la fin du XVIIe siècle, Cap-Santé s'est développé d'abord grâce à l'agriculture, la pêche et l'industrie du bois, pourtant marginale dans la colonie à cette époque.

Son toponyme est communément attribué à la guérison, aussi inexpliquée que soudaine, d'un contingent de marins qui, vers la fin des années 1600, avaient débarqué bien mal en point à cet endroit. Il est cependant plus vraisemblable que cette appellation vienne plutôt du vieux français *sentief* qui signifie « salutaire » et dont on aurait qualifié les lieux parce que la navigation, en dépit du rétrécissement du fleuve qui fait un coude à cette hauteur, s'effectuait quand même en toute sécurité.

Coïncidence de l'histoire, c'est aussi parce qu'elle s'y trouvait à l'abri du danger que représentait la menace anglaise après le combat perdu des plaines d'Abraham que l'armée française se réfugia à Cap-Santé, sur la falaise de la rive est de la rivière Jacques-Cartier venant y rencontrer le fleuve.

Hélas pour la population civile, l'armée mit presque à sac le village, plusieurs soldats n'hésitant pas à se construire des cabanes avec des matériaux chapardés, d'autres à dépouiller les habitants de leurs provisions et de leur bétail. Ceux de ces derniers qui étaient parvenus à sauver leurs possessions, qui une vache, qui un mouton, qui un cochon ou quelque volaille, durent rivaliser de ruses pour les soustraire à la convoitise des pillards. Ils les cachèrent dans leur cave, leur caveau à légumes, leur hangar à fourrage ou encore dans différents abris temporaires au bout de leurs champs ou sur leur terre à bois. Les plus malins allant jusqu'à déplacer régulièrement leur avoir pendant la nuit.

On pourrait croire que ces comportements odieux ont entaché la mémoire du fort Jacques-Cartier et ont eu pour résultat que ce site, d'une richesse patrimoniale considérable, ne soit pas encore véritablement mis en valeur, mais il n'en est rien. Les lieux étant propriété privée, on comprendra qu'on ne dispose tout simplement pas des fonds nécessaires. Mais le pittoresque de Cap-Santé est déjà si remarquable que l'intérêt des visiteurs y trouve amplement son compte sous l'arche des grands arbres qui bordent le Vieux-Chemin et la rue du Roy, son prolongement, où de belles propriétés d'époque offrent une collection d'images ravivant la mémoire de citoyens célèbres comme Marie

Fitzbach, la fondatrice des sœurs du Bon Pasteur, et Gérard Morisset, l'architecte et historien d'art.

Au centre du village, l'église au ton clair est un axe incontournable. Une des rares de la période coloniale à subsister au Québec, elle occupe, avec le presbytère dessiné par nul autre que le fameux architecte Charles Baillairgé, une place où, pendant le dernier week-end de novembre, on dresse chaque année un « village de Noël ».

Il ne m'était donc pas nécessaire, l'an dernier, de me rendre à Strasbourg pour visiter un tel petit bourg éphémère aux couleurs des fêtes. Avoir su, je me serais donc évité de longues, et ennuyeuses, heures de vol !

Saint-Irénée

Beau aujourd'hui comme hier

Charlevoix a toujours été pour moi un chef-d'œuvre de la nature. Ses paysages somptueux, sa lumière franche, le fleuve qui semble plus près qu'ailleurs…

Lorsque j'étais enfant, mon père y visitait sa sœur, qui habitait Saint-Irénée. Aussitôt que le village se livrait à notre regard depuis le haut d'une côte qui venait aboutir au niveau de la grève, j'étais pris d'un sentiment euphorique près du bonheur : c'était l'exaltation que provoque la beauté, même chez ceux qui n'ont pas encore découvert le sens de l'esthétique.

Je retenais mon souffle, j'écarquillais les yeux et mon père ralentissait, intimidé par le grandiose du paysage.

En roulant ensuite sur la route qui, comme aujourd'hui encore, longeait le bord de l'eau, nous nous avancions peu à peu dans une histoire qui n'était pas la nôtre, celle de gens très à l'aise dont la résidence familiale, un vrai manoir, était juchée sur une hauteur à la sortie du village. C'était la demeure de l'homme riche du comté. Il possédait, entre autres, deux fermes à dimension d'usine dont il avait confié la gérance à des hommes de confiance, et une entreprise de voirie qui traçait, ouvrait, puis entretenait les chemins dans tout Charlevoix. Cela m'importait peu ; ce qui m'émerveillait, c'étaient les deux voitures de luxe, une Lincoln et une Cadillac, qui dormaient dans son garage comme des félins prêts à bondir. Lorsqu'un de mes cousins se mettait derrière le volant de l'une d'elles, il fallait voir la poussière qu'il faisait lever à la vitesse d'un ouragan au-dessus des chemins de terre entre Saint-Irénée et La Malbaie!

Pour comble de fascination, en dépit de son caractère fermé, souvent sec et peu engageant, à chacun de nos séjours, mon oncle nous faisait visiter la maison que Rodolphe Forget avait fait construire en 1901 et qu'il avait baptisée Gil'mont. C'était une immense propriété, avec des pignons et des tourelles, une grande véranda et un porche digne d'un édifice parlementaire.

Ce Rodolphe Forget (1861-1918), originaire de Terrebonne, était devenu millionnaire en investissant dans ce qui était, au XIXe siècle, un nouveau secteur de l'industrie : l'hydroélectricité. Venu d'abord dans la région en villégiature, au contact des nombreux hommes d'affaires qui passaient leurs vacances dans de luxueuses villas de Pointe-au-Pic, il s'était bientôt intéressé au développement touristique. C'est ainsi qu'il avait participé à l'érection du Manoir Richelieu, dont la compagnie qu'il présidait était devenue propriétaire en 1904. Pour assurer la rentabilité de cet hôtel, il avait pris le contrôle de la *Richelieu and Ontario Navigation Company* qui y amenait les touristes depuis Québec.

Hélas! en 1965, un incendie a ravagé la résidence Gil'mont. Déjà en 1945, elle avait été acquise par les Petites Franciscaines de Marie de Baie-Saint-Paul en même temps que deux autres prestigieuses propriétés : celle ayant appartenu au juge Joseph Lavergne (1847-1922), qui fut un collègue de sir Wilfrid Laurier, et celle d'Adophe-Basile Routhier (1839-1920), juge lui aussi, député de Charlevoix et auteur des paroles de l'*Ô Canada*.

En 1977, des personnalités de la région s'unirent derrière le musicien Françoys Bernier pour former une corporation sans but lucratif et acheter cet ensemble immobilier. Ils le nommèrent « Domaine Forget » et le vouèrent aux arts d'interprétation, plus particulièrement à la musique et à la danse.

Les années ont passé... Saint-Irénée est d'un attrait toujours aussi émouvant.

Peu de choses ont changé : c'est là toute sa noblesse et son immuable cachet. Ainsi, si l'oncle bien nanti n'est plus, sa maison bourgeoise trône encore tout en haut du coteau qui regarde le fleuve. C'est aujourd'hui Le Rustique, une maison d'hébergement (chambres et appartements de villégiature avec salle à manger). Seule s'est vraiment transformée, pour le mieux, la qualité de l'accueil, Mme Diane Lapointe, la propriétaire, m'apparaissant de caractère moins taciturne que ne l'était par trop celui de l'oncle Jos.

Saguenay

Chicoutimi n'existe plus

Au début de l'été, des amis français, amoureux du Québec au point d'en rêver depuis le fin fond de leur Aveyron natal, m'ont rapporté avoir été confondus par une signalisation ambiguë à l'entrée du parc des Laurentides. Alors qu'un panneau routier en bordure de la 175 affichait *Chicoutimi 198 km*, quelques kilomètres avant, au-dessus de la route, un écriteau plus imposant venait plutôt d'annoncer la direction de *Saguenay*.

Ce double langage, pourrait-on dire, n'est qu'un aspect dérisoire d'une regrettable réalité lourde de conséquences : Chicoutimi n'existe plus. Et avant de sombrer lentement dans un oubli qui apparaîtra, avec le recul du temps, singulièrement injustifié, cette appellation survit tant bien que mal par des moyens détournés. Par exemple, la Société canadienne des postes considère toujours « Chicoutimi » comme une adresse autorisée, et beaucoup d'entreprises de l'ancienne ville s'y identifient encore, à l'instar de plusieurs lieux culturels.

La disparition de Chicoutimi de la carte, compte tenu de son histoire, de sa culture et de son identité si forte qu'elle en était proverbiale, peut être considérée comme une catastrophe géographique, une calamité pour la capitale des Saguenéens, lesquels en avaient pourtant connu et vaincu d'autres…

Passons outre le *Grand feu* de 1870 qui, parti de Normandin, s'était arrêté net à Sainte-Anne-de-Chicoutimi. Avec un intervalle de près d'un siècle, le 4 mai 1971 précisément, au village de Saint-Jean-Vianney, situé à moins de 20 kilomètres au nord-ouest de Chicoutimi, un glissement de terrain avait englouti plus de 40 maisons dans une mer de boue. Plus de 30 personnes y avaient perdu la vie.

Enfin, 25 ans plus tard, dans la nuit du 19 au 20 juillet 1996, une forte pluie s'abattit sur toute la région : elle allait durer plus de deux jours et provoquer une crue historique de cinq rivières dans les environs de Chicoutimi. Emportée dans un courant impérieux, l'eau détruisit des dizaines de maisons et transforma à jamais le relief d'une partie importante des villes et villages de l'époque. Ces drames permirent aux résidants de faire une étonnante démonstration de leur résilience.

Mais ce que la cruauté de la nature n'avait pas réussi, malgré deux tentatives, une simple consultation populaire, tenue à la suite de la fusion municipale de 2002, devait, hélas ! y parvenir. D'aucuns, et ils sont légion, croient qu'il s'est agi d'une sorte de vaste malentendu. Il résulterait d'un excès de confiance d'une majorité de citoyens qui, ce matin-là, n'ont pas jugé nécessaire « de se lever pour aller voter » – selon l'expression de l'éditeur Jean-Claude-Larouche (JCL) – afin de participer au référendum portant sur le choix (entre Chicoutimi et Saguenay) d'un nom pour la nouvelle municipalité regroupant Chicoutimi, Jonquière, La Baie, Laterrière, Shipshaw, Lac-Kénogami et une partie du canton de Tremblay. Cette négligence des citoyens à afficher leurs couleurs a provoqué une situation pénalisante et irréversible : Chicoutimi a été rayé au profit de Ville de Saguenay.

Ironie de l'histoire, une telle ville avait déjà existé, mais elle s'était, disons, éteinte d'elle-même. En effet, le 14 février 1920, l'Assemblée législative avait créé une municipalité de ce nom dans le canton de Chicoutimi. La loi avait été votée à la demande des compagnies *Price Brothers* et *The Saguenay Land Company,* ainsi que sous l'impulsion de plusieurs hommes d'affaires, marchands pour la plupart. Mais le 19 décembre 1975, cette entité municipale avait cessé d'exister, aucun maire ni conseil n'ayant jamais été élu…

Notons en passant que si, à l'origine, les Montagnais avaient appelé l'endroit *Chicoutimi*, c'est parce que ce vocable signifiant « la fin des eaux profondes » permettait de distinguer ce lieu de la rivière du même nom...

Ne reste plus de cette histoire d'un nom renié qu'un conflit entre ce qui est et ce qui aurait pu être. Et comme il repose sur une hypothèse, il est fort possible qu'il ne soit jamais résolu.

CHARNY

Il y a 250 ans...

À force de mêler l'histoire à ma vie, il m'arrive que certains lieux me fassent revivre des événements auxquels je n'ai pourtant pas participé, mais que j'ai si exactement imaginés qu'ils me semblent faire partie de ma mémoire.

Ainsi, lorsque fume la chute de la rivière Chaudière, à la hauteur de Charny, et que le soleil de février perce cette vapeur diaphane, il me vient à l'esprit deux combats qui s'y déroulèrent en février 1760. Le chevalier de Lévis avait alors succédé à Montcalm et il avait pris ses quartiers à Montréal. Résolu à repousser définitivement les Anglais de la Nouvelle-France, il avait conçu le projet d'attaquer Murray qui, après la bataille des plaines d'Abraham, s'était installé dans la ville de Québec pour l'hiver. En tant que gouverneur général de la colonie, Vaudreuil, son supérieur, avait donné l'aval à son plan et ordonné aux résidants de la rive sud, depuis Lévy jusqu'à Longueuil, de préparer des vivres afin de ravitailler l'armée et la milice. Ces provisions, nécessaires pour au moins un mois de campagne, allaient être embarquées vers Montréal à même les glaces charriées par le fleuve.

Comme pour les contrarier, voilà qu'une vague exceptionnelle de froid vint figer le Saint-Laurent d'une rive à l'autre. Lévis décida alors de détacher le colonel Jean-Daniel Dumas, un riche marchand qui avait joint la milice et qu'on appelait aussi sieur Saint-Martin, pour qu'il se porte à la Pointe-Lévy, vis-à-vis de Québec. Il contiendrait les Anglais pendant qu'on mettrait le ravitaillement dans des charrettes et qu'on les acheminerait par voie terrestre. Toutefois, cette expédition échoua et les hommes de Dumas durent se replier vers la rive ouest de la rivière du Sault-de-la-Chaudière, comme on l'appelait alors, où ils subirent une cuisante défaite.

Ayant prévu cette tragique éventualité, en bon stratège, Lévis avait envoyé, sous les ordres du colonel Bourlamaque, trois compagnies d'infanterie devant s'interposer entre les vaincus et les Highlanders, le cas échéant. C'est ainsi qu'au matin du 26 février, sur les rives de la rivière Chaudière, Bourlamaque attendit de pied ferme la deuxième charge des soldats écossais. Jusqu'au milieu de la nuit, il était tombé des trombes, mais au matin, la saison avait repris ses droits. La neige était couverte d'un mince miroir glacé et le soleil allumait le givre couvrant les branches et les bourgeons des taillis. Cette cathédrale de cristal était jonchée de troncs terrassés par le poids du verglas. Au sommet du monticule qui précédait le ravin où étaient embusquées les troupes de Murray, les Canadiens attendaient l'ordre d'attaquer, persuadés que l'ennemi ne parviendrait pas à escalader le glacis au bas duquel il s'était cantonné. Mais le colonel Bourlamaque voyait les choses autrement : il ordonna à ses hommes de garder leur position jusqu'à ce qu'ils reçoivent l'ordre de se replier.

– Quand l'ennemi sera parvenu à escalader cette pente, aussi glissante que le dos d'une baleine, il va se jeter devant vos lignes de mire, complètement désorganisé. À vous d'en profiter !

Hélas ! c'était ne pas prendre en compte l'ingéniosité des Highlanders qui, à l'aide de la pointe de leur mousquet, parvinrent à gravir la pente glacée et à se retrouver, parfaitement alignés, à quelques pas seulement de notre armée. Le claquement de leurs armes ne s'était pas sitôt fait entendre que, cachant le soleil, un voile de fumée noire s'éleva dans une odeur de poudre. C'en était fini de cette nouvelle bataille avant même qu'elle ne commence...

C'est ainsi que l'ambition de Lévis de reprendre Québec et de chasser les Anglais pendant les froids de l'hiver s'envola en fumée...

Cap-à-l'Aigle

De Pointe-au-Pic à Cap-à-l'Aigle

Comme un lieu imaginaire, plus apparent que réel, un village de la Côte-du-Sud recueillait tout ce qui pouvait se trouver de soleil en cette journée pluvieuse. De la fenêtre de ma chambre au Manoir Richelieu, ma vue portait jusque de l'autre côté du fleuve, où une gerbe de lumière se posait sur Kamouraska. Le blanc des maisons faisait une tache joyeuse quasi irréelle et, depuis Pointe-au-Pic (autrefois Pointe-à-Pic), sous un ciel bas, j'y croyais à peine.

Nourri aux images du *Temps d'une paix* dont, depuis quelques semaines, je suivais religieusement les reprises à la télé, j'avais décidé de me rendre sur place, à Charlevoix, dans la région immédiate de Cap-à-l'Aigle. Mais le temps avait tourné au ciel bas, à la pluie, et il ne semblait pas vouloir se ramener au beau de sitôt.

Situation calamiteuse après plus de six heures de route…

Heureusement, le Manoir Richelieu, cet hôtel historique au luxe distingué comme celui d'une cathédrale protestante, offre une ambiance à faire oublier la mauvaise humeur du temps. Au premier abord, dans son décor si poli qu'il parvient à jeter des éclats même sous un éclairage tamisé, on se dit que l'aisance a des relents de cloître ; mais, c'est connu, il ne faut pas se fier aux apparences. Bientôt on est conquis par le confort, la qualité du service et la diversité des activités offertes, la moindre n'étant pas une piscine chauffée à 90 °F qui permet de joyeuses baignades même sous un ciel triste. Et puis, on peut toujours se gâter à l'un des restaurants si l'on est privé du plaisir de se repaître l'œil des paysages vallonnés qui enchantent durant les journées ensoleillées.

Mais je n'allais pas bouder ma chance d'être dans l'une les plus belles régions de la province.

Aussi, faisant contre mauvaise fortune bon cœur, j'ai quitté ce confort où j'aurais bien pu paresser, et j'ai pris la route. Au pied de multiples côtes, chacune bordée d'autres hôtels, tout aussi invitants les uns que les autres, et de villas cossues, j'ai débouché devant cette baie magnifique qui, faute d'avoir fourni un ancrage suffisant aux bateaux de Champlain en 1608, et parce qu'elle s'assèche à marée basse, a été baptisée « La Malbaie ».

Hélas cependant ! la ville qui en porte le nom depuis 1896 a été hachée par les transformations ayant pour excuse d'en faire le centre administratif de Charlevoix. Le bord de l'eau a ainsi été sacrifié à un boulevard qui longe une suite de commerces, dont un centre commercial de couleur terne, qui blessent la vue, et la rue principale qui en constituait autrefois l'artère vitale a perdu tout panache. Feu le notaire Paul-Émile Tremblay avait raison de dénoncer cette déconstruction de ce qui avait été son village et de porter ses récriminations jusque dans les pages du quotidien *Le Devoir*, à Montréal. Comme un monument mérité à sa mémoire, heureusement, sa maison – une des rares de la rue Saint-Étienne ayant conservé son allure originale – est toujours là, élégante et familière, avec son jardin de fleurs et de vert, belle oasis du passé dans un présent sans saveur.

Au lieu de m'appesantir dans cette agglomération sans doute à coup sûr signifiante et commode, dont la population très amène ne fait sans doute que traverser une phase de transformation vers le mieux, j'ai poursuivi ma route vers Cap-à-l'Aigle.

Changement de tableaux : maisons coquettes et gîtes foisonnants, on dirait la banlieue chic de La Malbaie au cadre typique de la région, celui des monts et des vaux, des bosquets touffus, des champs en pente douce devant toute la majesté du fleuve.

Puis, soudain, un embranchement qui descend vers la grève. Et là, dans l'odeur un peu salée des vaguelettes qui lèchent les rochers, un port de plaisance, un quai de vacances, une marina avec jetées qui protègent des voiliers multicolores contre les soubresauts du Saint-Laurent. En toile de fond, des pans des Laurentides qui se courbent vers l'eau.

Alors que je me réjouissais de cette vue, le temps que je la goûte, et le soleil balayait le tout de rayons prometteurs. Plus tard dans la journée, le mauvais temps n'était plus qu'un flou souvenir et je ne regrettais en rien de m'être déplacé si loin pour être tout proche du pays de Rose-Anna Saint-Cyr, le personnage pittoresque et charismatique du téléroman de Pierre Gauvreau.

DONNACONA

Dommages collatéraux

De nos jours, on excuserait ces événements qui, au lendemain de la bataille des plaines d'Abraham, ont heurté de paisibles cultivateurs, en les qualifiant de « dommages collatéraux ».

Après la défaite du 13 septembre, l'administration de la Nouvelle-France – c'est-à-dire le gouverneur Vaudreuil, l'intendant Bigot, et l'évêque, Mgr Pontbriand – s'est repliée sur Montréal. Ce mouvement était obligé puisque la ville de Québec, tout comme sa région immédiate, était passée sous le contrôle anglais. Quant à notre armée, elle s'est fractionnée en trois. Nos soldats se sont cantonnés soit au fort de l'Île-aux-Noix, soit au fort Lévis situé sur l'île aux Galops (près de l'actuelle ville de Prescott, en Ontario), soit au fort Jacques-Cartier. À ce dernier endroit, ils se sont installés sur les bords de la rivière du même nom, où ils ont édifié une place forte, ceinte d'une clôture de pieux et protégée, du côté opposé au fleuve, par un fossé profond.

Cette présence militaire se révéla rapidement une malédiction pour les habitants de ce qui était alors le petit village de Saint-Jean-Baptiste-des-Écureuils, fusionné depuis 1967 avec celui de Donnacona pour former la ville qui porte aujourd'hui cette dernière appellation.

Sitôt installés, mais insatisfaits entre autres de leurs conditions de logement, plusieurs soldats se sont construit des cabanes avec des matériaux chapardés dans le village. Poussant encore plus loin leur cynisme, ils ont entrepris de dépouiller les habitants des Écureuils (et de Cap-Santé) de leurs provisions et de leur bétail, leur laissant à peine de quoi survivre. Les familles ne mirent pas de temps à réagir et multiplièrent les subterfuges pour sauver leurs modestes possessions. Se sentant ainsi méprisés, les soldats développèrent à l'endroit des civils un fort sentiment de suspicion, ce qui ne fit qu'envenimer encore les relations entre les deux factions. Leur ressentiment résultait du fait que les soldats français devaient alors effectuer des expéditions, par des sentiers difficiles en forêt, pour se cacher des Anglais qui rôdaient à Beauport, où ces derniers campaient avant l'attaque de Québec, afin de récupérer le plus possible de leurs rations ou de leurs munitions. De plus, ils craignaient d'être dénoncés à l'ennemi, une rumeur insistante colportant qu'une partie de la population estimait l'éventuelle conquête anglaise comme ce qui pouvait arriver de mieux à la colonie, compte tenu de la famine qui y régnait depuis plusieurs années et de l'abandon manifeste de la France.

Ce retour dans les pages de notre histoire m'est venu alors que, traversant Donnacona, je prenais le pont enjambant la rivière Jacques-Cartier. Du coup, la première image qui illustra mes pensées fut celle d'un bac qu'opéraient Thomas Courtois et son fils, en 1759. Cependant, à l'instar de tous ceux qui exerçaient ce métier à l'époque, ce n'était pas la première activité des deux hommes. Ils devaient composer avec d'autres occupations, tels les travaux de la ferme, conditions qui rendaient aléatoire l'établissement d'un horaire fixe pour l'opération de leur service. Aussi traversait-on lorsque le batelier en décidait, et pas autrement…

L'après-midi où j'ai franchi le cours d'eau, le pont principal, celui de l'autoroute Félix-Leclerc, était en rénovation. Sa fermeture m'a inspiré la réflexion suivante : quelle que soit l'époque, c'est toujours la rivière qui a raison – elle coule, du même cours qu'en 1759, aucunement concernée par les préoccupations des hommes, qui continuent à s'ingénier pour trouver la meilleure façon de la traverser.

Matane

En passant par Matane

Il y a plusieurs années, en route vers la Gaspésie, peu après Mont-Joli, je me suis souvenu d'un vieil oncle dont nous parlait souvent ma mère. Il habitait une solide maison de ferme qui avait été épargnée par la vague d'expropriations ayant déferlé quelque temps auparavant en vue d'aménager le futur aéroport de la région.

L'accueil fut chaleureux, voire expansif, même si l'homme était trempé de cette noblesse rigide qu'on trouvait alors chez les grosses familles rivées à leurs terres depuis des générations. Il me garda à dormir. Le lendemain, après un copieux déjeuner où je n'osai refuser les épaisses tranches de pain tartinées aux cretons qui s'ajoutaient aux œufs, au bacon, aux fèves au lard et aux pommes de terre rôties – moi qui, d'habitude, grignote le matin –, il entreprit de me faire la leçon, une leçon des plus incongrues pour quelqu'un venant de Montréal.

S'avisant que je traverserais la ville de Matane, il m'expliqua que, près du pont enjambant la rivière éponyme, les autorités municipales avaient installé depuis peu des feux de circulation. Un doigt dressé et penché en avant sur son fauteuil, il me dit que si j'arrivais « sur la lumière rouge », je n'aurais pas le choix : il me faudrait arrêter absolument ! Sa recommandation passée, dans le silence d'ensuite, il hocha la tête comme pour appuyer ce rappel d'une convenance capitale.

Huit ans après, de retour à Matane, je me suis rappelé ces propos pour le moins détonants et, aux feux de signalisation du pont, souriant intérieurement je me suis arrêté… même si le feu était vert. Cette courte hésitation m'a permis d'entrevoir, sur ma droite, une propriété bourgeoise trônant au milieu d'un bosquet. En y regardant de plus près, j'ai pu distinguer une enseigne : *L'Auberge de la Seigneurie.*

On était en juillet, mais il faisait un temps exceptionnellement froid (au matin, on avait cru qu'il allait neiger) : rien pour m'inciter à faire du tourisme. Aussi ai-je décidé de me réfugier dans ce gîte jusqu'au retour du beau temps. À ce moment, j'ignorais que, dans le confort douillet d'un salon aux murs lambrissés de boiseries alternant avec de riches tapisseries, pièce meublée de véritables antiquités, le propriétaire, M. Guy Fortin, me donnerait un cours d'histoire sur sa ville.

Les débuts de Matane furent en fait des plus chaotiques. Au XVIIe siècle, c'était un poste de traite de première importance pour les Micmacs de la baie des Chaleurs et du nord de l'Acadie, qui venaient échanger leurs fourrures contre différents produits européens proposés par des marchands de La Rochelle. Ces Rochelais, des protestants, étaient en conflit avec la très catholique couronne de France. Aussi leur commerce avec les Amérindiens tourna-t-il court lorsque Louis XIII leur interdit de trafiquer sur le territoire de la Nouvelle-France et qu'en conséquence, Samuel de Champlain arraisonna, en 1612, leur vaisseau *Le Soleil* et, l'année suivante, *Le Madeleine.* Après avoir provoqué leur naufrage, il remit leurs cargaisons de pelleteries à des marchands de Rouen et de Saint-Malo.

La colonisation de la région de Matane tarda ensuite à démarrer. Ce retard serait dû à une combinaison d'éléments contrariants, tels l'éloignement (de Québec), le relief difficile et l'impossibilité d'y importer les moyens techniques nécessaires à l'installation de colons. Quelques courageux Français s'y sont tout de même hasardés et, en 1661, ils se plaignirent de vivre dans le pays « le plus ingrat et le plus affreux qui soit ».

Heureusement, cette opinion n'était pas partagée par le major Mathieu Damours. En 1672, ce membre influent du Conseil souverain y obtint un certificat de concession seigneuriale. Sous son impulsion, ce coin de pays, en vérité l'un des plus beaux de la colonie, connut enfin le développement accéléré qu'il méritait.

Aujourd'hui, Matane est la capitale industrielle de l'est du Québec. Ses infrastructures (port de mer, aéroport, parc industriel, etc.) sont marquées au sceau du modernisme. Les feux de circulation ne se comptent plus, et ses résidants les respectent avec la même attitude conciliante qui colore leur légendaire sens de l'hospitalité.

Petite-Rivière-Saint-François
Un bonheur d'occasion...

Qui n'a pas hésité devant la panoplie de noms possibles à donner à son dernier-né ? Est-ce parce que l'histoire est le récit de la vie des hommes se succédant dans le temps qu'elle n'est pas différente et qu'il arrive qu'elle peine à nommer un lieu ? Cela donne parfois une bien drôle de litanie, comme celle qui s'est déclinée avant d'en arriver à l'appellation actuelle de la Petite-Rivière-Saint-François.

Ce lieu, qui apparut en 1641 sur la carte tracée par l'ingénieur-arpenteur et cartographe Jean Bourdon (1601-1668) puis, 121 ans plus tard, sur celle d'un autre cartographe, Jacques-Nicolas Bellin (1703-1772), après la Conquête, en 1761, a connu, outre l'appellation toute simple de Petite-Rivière, pas moins d'une dizaine de dénominations différentes.

Tour à tour, l'endroit fut nommé Cap-Raide, Rivière-du-Sot, Anse-aux-Pommiers, l'Abattis, l'Abatis (sic), Vieille-Rivière, Ruisseau-à-la-Nasse, Cap-Maillard, François-Xavier, Côte-de-Saint-François-Xavier, sans oublier la désignation quelque peu redondante de Saint-François-Xavier-de-la-Petite-Rivière-Saint-François. Cette dernière a d'ailleurs dû en rebuter plus d'un, à commencer par les notaires qui risquaient d'y perdre leur latin en rédigeant leurs actes authentiques.

La version définitive rend hommage à un évangélisateur français qui fut canonisé en 1622, entre autres pour avoir prêché la Bonne

Nouvelle au Japon. Personnage très populaire en son temps, il fut chéri des jésuites, qui usèrent de leur influence pour qu'il soit ainsi honoré.

Située à l'est de Baie-Saint-Paul, la petite municipalité épouse, sur six kilomètres, une étroite bande de terre qui serpente entre le fleuve et le massif laurentien. Tout en longueur, elle offre au passant une agglomération des plus originales : on y avance avec l'impression de remonter l'artère principale d'une grande ville. Tous les commerces et les services s'y trouvent, et une activité bourdonnante l'anime sans pour autant altérer son caractère paisible.

On parvient à Petite-Rivière-Saint-François après une longue descente à travers la forêt depuis la route 138 qui mène à La Malbaie. Porte d'entrée du pays de Charlevoix, dont elle est le plus ancien lieu de peuplement, elle en annonce bien les attraits : montagnes douces, bordure de fleuve lumineux, nature généreuse et mille points champêtres rivalisant pour capter à leur manière les tons infinis de la lumière changeante. Tellement en fait que, depuis plus d'une génération, un nombre considérable de peintres en ont fait leur lieu de prédilection. C'est ainsi que la plupart de ces tableaux très distinctifs qui ont pour sujet Charlevoix ont été exécutés dans cet endroit évocateur.

Toutefois, Petite-Rivière-Saint-François n'inspire pas que les peintres : elle offre aussi un cadre propice à la création littéraire. La présence estivale, pendant plus de 25 ans, de la romancière Gabrielle Roy (1909-1983), récipiendaire du prix Femina et (deux fois) de celui du Gouverneur général, en témoigne. Sa modeste maison d'été, avec son *tambour* vitré qui regarde le Saint-Laurent depuis une éminence recluse de toute agitation, impose le recueillement. Pas un triste recueillement *post mortem*, mais un repli sur soi dans la sérénité du silence ambiant, le même qui a dû nourrir la prose de notre célèbre écrivaine.

Pour ma part, en ce premier dimanche de mai où j'entamais un séjour dans la région, je me suis arrêté dans l'ombre rassurante des pins bordant la demeure, une ombre trompeuse qui, à l'arrière de la propriété, dévoile sans retenue la lumière riante du fleuve. Et je me suis mis à rêver les yeux ouverts : je m'installais en ces lieux avec mes cahiers, mes plumes... La félicité doit ressembler à cette minute d'exaltation où je m'approchais à la fois de la beauté toute naturelle du monde et de celle, plus aléatoire, de la création.

Dans ce calme délicieux, plus d'un, j'en suis sûr, se met à souhaiter que le développement du Massif (qui prévoit une augmentation de 30 % du domaine skiable, la construction d'un hôtel de 150 chambres...), dont l'entrée principale est tout près, trop près, ne dénaturera pas irrémédiablement les choses et que demain, comme aujourd'hui, le souvenir de Gabrielle Roy sera intact, respecté et toujours aussi émouvant.

L'Isle-Verte
Un très beau village...

Nous allions sortir du village que nous venions de traverser au ralenti avec une curiosité de touristes. C'était dimanche, le soleil dardait et lorsque nous avions aperçu le chemin menant à L'Isle-Verte, tout juste à la sortie d'un pont enjambant une rivière fougueuse, et d'une beauté sauvage, nous avions quitté la route 132 pour emprunter ce détour tentateur. Depuis plusieurs kilomètres, le paysage nous avait enchantés : champs verdoyants, battures profondes perlées d'eaux miroitantes, fleuve au repos cernant des îles et des îlots qu'on aurait dit endormis.

Quant au village, de chaque côté de la rue principale se succédaient plusieurs maisons de l'époque seigneuriale et, partout, des fleurs garnissaient des pelouses et des jardins déjà luxuriants.

En somme, nous venions de découvrir un très beau coin de pays.

Cependant, il nous restait encore beaucoup de route à parcourir avant d'atteindre Percé, notre destination. Aussi, c'est bêtement parce qu'il était midi et que nous avions déjeuné beaucoup trop tôt, à Québec, que nous nous sommes arrêtés pour manger.

Au restaurant «Chez Bedaud», rouge comme une caserne de pompier, l'atmosphère était sereine : nous nous y sommes aussitôt sentis parfaitement à l'aise même si nous étions les seuls clients (il n'était que 11 heures), à l'exception d'un homme qui, sirotant un café, cogitait au-dessus d'une grille de mots croisés. Des bruits de maisonnée montaient derrière la cloison fermant la salle à manger et un enfant, un garçon, tout sourire, a soudain traversé entre les tables pour aller jouer dehors.

À un moment, mon épouse a dû se rendre aux lavabos, et l'air engageant du client solitaire l'autorisa à jeter un coup d'œil sur les cases qu'il peinait à remplir. Elle se permit de suggérer un mot, le mot qu'il fallait y mettre. Bientôt nos deux cruciverbistes s'absorbaient au-dessus de la page du *Journal de Québec* et en un rien de temps, le mot croisé fut totalement résolu.

L'homme entreprit alors de nous convaincre que nous ne pouvions poursuivre notre chemin sans d'abord visiter, tout au moins, la maison Louis-Bertrand.

Classée monument historique par le gouvernement du Québec et lieu historique par la Commission des lieux et monuments historiques du Canada, cette maison, sise au centre du village, vaut vraiment qu'on s'y arrête pour en savourer le moindre recoin.

Construite au printemps de 1853 par Louis Bertrand (1779-1871) – homme d'affaires et marchand, lieutenant-major de la milice, élu deux fois député de Rimouski et premier maire de L'Isle-Verte –, la vaste résidence familiale représente le modèle parfait de l'habitation du milieu du XIXe siècle. Une des caractéristiques de ce type d'architecture étant justement son toit légèrement incurvé à sa base et percé d'un nombre inégal de lucarnes au nord et au sud.

On raconte que ce Bertrand aimait les livres, que les rayons de sa bibliothèque en étaient très bien garnis. Comme si le temps s'était refusé à modifier ce caractère particulier donné aux lieux par leur premier maître, je remarquai, posées ici et là, les différentes éditions des romans français ayant mérité le prix Goncourt au cours des 15 dernières années...

Nous déplaçant parmi les meubles d'époque, dans ce décor exactement conservé, il nous a semblé reculer dans le temps en un mouvement sans aucune fausse note. En fait, ces lieux parlent tellement d'eux-mêmes que lorsque pour moi vint le temps de poser des questions à notre guide, je n'en eus aucune à propos de la maison. Je me rabattis sur la toponymie de l'endroit:

« Pourquoi le village s'écrit-il *Isle-verte* avec un s, alors que le nom de l'île d'en face, l'île Verte, n'en prend pas ? »

La réponse est la suivante : lors de la concession seigneuriale, l'île et la terre ferme ont été considérées comme une seule et même entité géographique. Plus tard, la municipalité est devenue celle de Saint-Jean-Baptiste de l'Isle-Verte, en l'honneur de Jean-Baptiste de Côté, le premier seigneur. Puis, en 1955, le village a été désigné sous son nom actuel et l'île, qui n'appartient pas à la même municipalité mais à celle de Notre-Dame-des-Sept-Douleurs, a pris l'appellation la plus évidente, celle d'île Verte.

Il n'est donc pas surprenant que la rivière qui nous accueille à l'entrée du village se nomme… la rivière Verte !

Kamouraska

De Pincourt à Kamouraska

Il arrive que des moments forts de l'histoire occultent des pans du passé. Ainsi, qui se souvient du hameau de Pincourt qui était situé sur la Côte-du-Sud ? Par contre, la mémoire conserve encore le souvenir d'un événement historique majeur qui y est survenu le 7 septembre 1759.

Une semaine auparavant, un détachement de 1600 militaires s'était embarqué à la Pointe-Lévy sous le commandement du major George Scott. À bord d'une frégate et d'une corvette, les Anglais avaient descendu le fleuve – avec l'ordre de détruire tous les villages où on leur manifesterait de l'hostilité – et jeté l'ancre devant ce qu'on appelle aujourd'hui Kamouraska. Quelques-uns d'entre eux avaient profité de la nuit pour aborder la rive, se faufiler dans les rues endormies et s'emparer d'un habitant qui rentrait de sa ferme. Ils l'avaient amené devant le major et son quartier-maître, lesquels étaient parvenus à lui tirer moult informations pertinentes en prévision d'un débarquement.

C'est ainsi que le 9 septembre – c'était un dimanche – à 3 heures du matin, un imposant contingent de soldats britanniques avait quitté les bateaux et touché les berges à environ une demi-lieue à l'est de l'église du village. Après un léger affrontement avec des résidants les attendant derrière un bosquet près du rivage, escarmouche dont ils s'étaient tirés presque indemnes – un tué, un blessé –, les soldats avaient fait prisonniers une cinquantaine de Canadiens, puis entrepris leur saccage le long de la Côte-du-Sud en remontant vers Québec jusqu'à Cap-Saint-Ignace.

Nos livres d'histoire s'en souviennent...

Ils ont oublié cependant qu'avant que le comte de Frontenac, gouverneur général de la Nouvelle-France de 1672 à 1682, concède à Olivier Morel une nouvelle seigneurie qui porterait le nom d'un des cours d'eau traversant son territoire, la rivière Kamouraska, ce village était désigné sous le nom de Pincourt.

Cette première appellation laissa sa trace un bon moment. En effet, un coteau d'un peu plus d'un kilomètre, qui descendait en pente douce vers le fleuve à la sortie du bourg, eut pour nom la Côte-à-Pincourt jusqu'à ce qu'on le rebaptise la Côte-Bossée (nom actuel).

L'histoire a également retenu qu'en 1813, Kamouraska était déjà devenue un centre de villégiature réputé et que son emplacement avait favorisé la construction d'un quai, ce qui en avait fait un lieu aussi très prisé des commerçants. À ce point, qu'en 1849, les autorités en firent le chef-lieu d'un nouveau district judiciaire devant desservir l'ensemble du Bas-Saint-Laurent, de La Pocatière à Matane. On y établit donc le bureau du shérif, et surtout, un Palais de justice qui entraîna l'implantation d'une bourgeoisie de robe. C'est d'ailleurs dans la maison du notaire Jean-Baptiste Taché qu'un nommé Frédéric Tremblay fut chargé de la mise en place de locaux pour la Cour supérieure. Ce haut tribunal y siégea jusqu'à ce qu'il déménage à Fraserville (aujourd'hui Rivière-du-Loup), centre ferroviaire en pleine croissance, en 1883.

En guise de consolation, si l'on peut dire, à la demande des Kamouraskois, le gouvernement y aménagea, dans un nouvel édifice ouvert en 1888, une cour de circuit (destinée aux enjeux civils ne dépassant pas 100$) ainsi qu'un bureau d'enregistrement des droits fonciers. Puis, en 1913, l'ensemble de ces institutions judiciaires fut transféré à Saint-Pascal, à six kilomètres de là, cette localité étant mieux située et plus populeuse, son développement rapide résultant de l'implantation d'une importante gare de chemin de fer.

Depuis 1988, la Corporation de l'ancien palais de justice s'est vu confier l'animation et la mise en valeur de cet édifice classé monument historique, remarquable par son architecture si distinctive, mélange de style Second Empire, Renaissance et « Château », et qui fut complètement rénové en 1996.

En plus d'abriter maintenant un théâtre, dans ce qui était la salle du tribunal, et de donner une vitrine à des artistes locaux, on y présente une exposition permanente sur son histoire.

SAINT-JEAN-PORT-JOLI

On ne s'y ennuie pas...

Saint-Jean-Port-Joli, le nom déjà... Mais n'anticipons pas.

Lorsque j'habitais à Trois-Saumons, l'été, il m'arrivait de m'ennuyer royalement. Mes bouderies ne trompaient pas mon père. Un jour, il se dit que j'avais besoin de défis, que de me dégourdir les membres et sortir de la cour, où je tournais en rond sur ma bicyclette, me ferait le plus grand bien. Ce fut facile : il connaissait bien les frères Bourgault, Médard, André et Jean-Julien, les sculpteurs de Saint-Jean-Port-Joli, qui faisaient concurrence à sa boutique d'artisanat. Il demanda à l'un d'eux, André, s'il accepterait de me prendre dans son atelier pour m'initier à son art. Sans doute la proposition fit-elle sourire l'artiste, car il n'était pas dit que j'avais quelque talent... Même que, personnellement, je ne me savais pas habile de mes mains ; mais la jeunesse ne doute de rien et j'avais tout juste 12 ans.

Cet été-là, chaque matin, je pédalais donc 17 kilomètres pour me rendre devant l'établi où m'attendaient les ciseaux à bois avec lesquels j'apprenais à convertir des bouts de bois en « petits-bonhommes », figurines dont les touristes ne se rassasiaient pas à l'époque. C'était le temps où la réputation de Saint-Jean-Port-Joli était encore exclusivement tributaire de la sculpture sur bois, qui lui avait valu une réputation internationale à titre de capitale canadienne de l'artisanat, laquelle lui avait permis de soutenir son économie lors de la crise des années 30.

Récemment, malgré une pluie rébarbative, je me suis accordé une halte dans le village que mes souvenirs ont aussitôt redessiné au soleil de mes vacances d'antan.

J'étais prévenu que les choses avaient changé et que si la sculpture prédomine encore, la peinture, la joaillerie, la céramique, l'ébénisterie, la ferronnerie et d'autres formes artistiques enrichissent à présent la vie culturelle des lieux. Je savais aussi qu'on les célèbre de multiples façons en distribuant les œuvres de ces différentes disciplines dans des salles d'exposition, des boutiques, des parcs et même dans des restaurants et des hôtels.

Pour faire en sorte que la dimension touristique ne soit pas qu'esthétique, il s'est ajouté, entre autres, un vignoble, le « Vignoble du Faubourg », un musée de la moto (?) et un autre, celui de « La mémoire vivante », qui occupe le manoir Philippe-Aubert-de-Gaspé reconstruit à l'identique de l'original (pour ce qui est de son aspect extérieur). Enfin, pour animer le village de belle manière, on cumule désormais les événements culturels et les divertissements d'autre nature, tels des concerts d'été donnés au parc Fleury ; l'événement Sculpture en jardin, une exposition haut de gamme en bordure du fleuve ; la Fête des chants de marins, célébration du fleuve Saint-Laurent et de la côte avec des chants et des activités nautiques ; *Les violons d'automne*, une série de spectacles mettant en vedette cet instrument ; Le salon du livre de la Côte-du-Sud et, pour ne pas tourner le dos à la saison froide, La fête d'hiver, événement d'envergure provinciale de sculpture sur neige associé à des activités culturelles et sportives.

Il devait être près de midi lorsque je me suis arrêté aux abords de l'église, réputée pour son toit rouge et ses (deux) clochers originaux qui se dressent à ses extrémités et j'ai choisi d'entrer à La cigale et la fourmi dont l'enseigne annonçait des produits d'alimentation naturelle. Dès la porte franchie, j'ai su que je ne m'étais pas trompé : l'endroit est typiquement de Saint-Jean. D'abord l'accueil, personnalisé, dirait-on en ville, puis le décor fait main avec une touche résolument artistique, la disposition originale des produits, aérée, dégagée, invitante, et une bonne odeur mêlée de moissons, de tisanes, de pain et d'essence de bois encore vivant. Ensuite, l'enthousiasme des jeunes propriétaires animés de la foi des conquérants et à qui on ne saurait donner tort: l'avenir étant résolument tourné vers les aliments sains.

Lorsque je suis ressorti avec quelques sachets de thé énergisant, miracle, le soleil brillait! Je suis alors allé manger sur la galerie-terrasse du restaurant Porto Bellissimo, rue de l'Église, une des bonnes tables de Saint-Jean-Port-Joli.

Quant à mon apprentissage de sculpteur, il n'a pu faire de moi ce que je n'étais pas. Je demeure les mains pleines de pouces, ce que mon père ne pouvait ignorer, sinon il m'aurait gardé à ses côtés dans sa propre boutique pour m'enseigner les rudiments de la marqueterie. Il a préféré, dans un geste d'humour qui lui ressemblait parfaitement, m'envoyer faire perdre son temps à un concurrent...

Chutes Montmorency

La légende de la Dame Blanche

Cela me frappe toujours de constater combien, parfois, l'histoire se donne le beau rôle et oublie le pire pour se souvenir du mieux. J'en prends pour exemple que c'est un 24 juin (1759) que les 130 voiles anglaises de l'amiral Saunders, avec à leur bord le général James Wolfe, se sont engagées dans le fleuve, depuis le golfe, pour venir attaquer Québec.

Cette date, on le sait, évoque aujourd'hui tout autre chose, à mille lieues de la Conquête...

La flotte britannique atteignit la hauteur de l'île d'Orléans le 27 et l'armée débarqua près du village de Saint-Laurent. Informé en début de mai que des navires anglais se regroupaient à l'entrée du golfe, le marquis de Vaudreuil, alors gouverneur général, avait déjà ordonné aux colons établis à l'est de Québec (il s'en trouvait jusqu'à Kamouraska) de fuir leurs habitations et de se réfugier dans les bois avec famille et cheptel. La même consigne avait été donnée aux habitants de l'île d'Orléans, lesquels désertèrent leurs terres pour s'exiler à Charlesbourg, sur la Côte de Beaupré et à Beauport.

C'est dans ce dernier hameau que vivaient Mathilde Robin et son fiancé, Louis Tessier. Les deux jeunes gens allaient se marier avant la fin de l'été. Régulièrement, ils allaient partager de magnifiques vertiges sur les rives de la rivière Montmorency juste avant qu'elle ne se précipite, 85 mètres plus bas, en une cascade au panache sans cesse renouvelé. D'autres fois, dans la douceur toute particulière de certains soirs, ils se rendaient plutôt au bas de la chute et s'asseyaient sur un rocher, le cœur rempli du sentiment que leur avenir contenait tous les bonheurs possibles.

Le Sault de Montmorency, tel que baptisé en 1608 par Champlain en l'honneur de Charles de Montmorency, un illustre amiral français, était déjà, à cette époque, connu dans les « vieux pays ». En 1542, le capitaine-pilote de François Ier, Jean Alfonse, dit Fonteneau, qui avait mené l'expédition de Roberval, avait décrit l'endroit comme « le plus remarquable accident géographique des Amériques ». Plus de deux siècles plus tard, en 1749, le naturaliste suédois Peter Kalm en avait rapporté dans son pays la description suivante : « À l'endroit où l'eau se jette, le report de la falaise est tout à fait vertical et il est terrible de voir la façon dont l'eau tombe... » Cette phrase avait fait le tour de l'Europe et assis la renommée de la chute Montmorency.

Ayant établi son quartier général dans l'église de Saint-Laurent, Wolfe avait vite compris que le Cap-aux-Diamants était imprenable et que, s'il voulait s'emparer de Québec, il fallait que ses troupes mettent le pied à l'est de la muraille de pieux qui courait depuis la rivière Saint-Charles jusqu'à Beauport, soit sur les berges de la rivière Montmorency.

C'est ainsi que, le 31 juillet au matin, son armée se retrouva en aval de la chute et qu'eut lieu « la bataille de Montmorency ». L'armée française résista une bonne partie de la journée, si bien qu'elle réussit à repousser l'ennemi.

Louis Tessier était au nombre des miliciens ayant participé à l'affrontement. Quelques jours plus tard, il n'était toujours pas réapparu chez les siens. Plusieurs croyaient qu'il avait été fait prisonnier, mais la belle Mathilde refusait de se contenter d'une hypothèse. Elle se rendit sur les lieux de la bataille, qu'elle arpenta, résolument, parmi les combattants tués et les débris fumants, dans le bruit assourdissant de l'eau qui tombait de l'escarpement.

C'est tout près de l'impact qu'elle trouva son amoureux, ensanglanté, le corps tordu entre deux rochers, sans vie. Désespérée et accablée d'un chagrin à perdre la raison, elle rentra chez elle, revêtit sa robe de mariée et se rendit au sommet de la chute. Là, les bras ouverts, elle s'élança dans la brume d'eau qui montait vers elle et parut s'évaporer.

Depuis, on raconte qu'au temps des récoltes, du versant nord de l'île d'Orléans, il arrive qu'on aperçoive au pied de la chute la silhouette d'une jeune femme toute blanche vêtue : c'est la Dame Blanche...

Et la petite chute qui coule à gauche de la chute Montmorency porte son nom. S'il est joliment gracieux, son origine, elle, l'est beaucoup moins...

Saint-Georges

La Chaudière est beauceronne

Pour qui se rend la première fois sur les lieux, la découverte est impressionnante.

J'avais quitté Québec peu après midi pour me rendre à Saint-Georges-de-Beauce, ignorant que l'usage de ce vocable est révolu depuis mai 1990. Il ne s'agit plus que de Saint-Georges, tout simplement, et la municipalité englobe celle que fut autrefois Saint-Georges-Ouest, pour former aujourd'hui la plus importante des villes beauceronnes. Je roulais en rêvassant, peu distrait par les coteaux et les vallons qui longent l'autoroute. Soudain, en quittant cette dernière pour me diriger plus exactement vers ma destination, j'ai aperçu la rivière Chaudière.

Ce qui frappe le voyageur en arrivant « dans la Beauce » (comme on le dit communément), c'est la présence dominante de ce cours d'eau : il en façonne tout le caractère.

Il a rythmé l'histoire de cette région du Québec. C'est en le suivant, en occupant ses berges, que des générations ont transmis à d'autres générations leur manière de vivre, de penser, et leur façon de travailler. Il les a si bien inspirées que les Beaucerons ont la réputation d'être courageux au labeur, ingénieux, et fort habiles en affaires.

Et ils connaissent bien l'histoire de la Chaudière puisque c'est la leur. Aussi l'aiment-ils malgré ses mouvements d'humeur attendus, programmés, quand elle déborde, modifie ses berges, impose sa loi. Avec le temps, ils s'y sont habitués, mais il n'empêche que, souvent, ils s'inquiètent. Avec raison, car ils ont la mémoire vive.

Ainsi, ils se souviennent qu'en novembre 1850, la rivière a atteint son plus haut niveau et que le village de Famine (nom prédestiné ?) a alors perdu son moulin et presque tout son bétail. Quarante-six ans plus tard, au printemps cette fois, la débâcle fut plus tragique encore : les eaux envahirent la 1re Avenue, à Saint-Georges, défonçant les solages et renversant un grand nombre de maisons. Tous les ponts furent emportés !

Mais les inondations les plus dévastatrices se sont produites à l'été 1917. C'est le tonnerre qui marqua le début de la catastrophe, le 31 juillet, à 13 heures très précisément. Pendant 12 heures, sans répit, il tomba des trombes. La rivière prit des proportions de fleuve, et son courant rageur emporta le pont de Famine avec 42 autres qui butèrent contre la structure de fer de celui de Beauceville, lequel résista tant bien que mal, comme quoi les calamités s'accompagnent souvent de miracles… Bilan de ce déluge : des maisons emportées, de nombreux animaux noyés et l'ensemble des récoltes perdu.

Jusqu'en 1986, ce genre d'inondation se répéta au moins 13 fois. Cette année-là, fin mars, à Saint-Georges toujours, la 1re Avenue et l'avenue Chaudière se transformèrent en battures de glace. En conséquence, des fils électriques furent sectionnés, ce qui provoqua des incendies majeurs. Sous l'effet de l'eau ou des flammes, plusieurs maisons furent irrémédiablement endommagées.

Toutes ces avaries en dépit de la construction, en 1968, du barrage Sartigan qui, quoiqu'il ait fait ses preuves, n'est toujours pas parvenu à dompter vraiment les soubresauts parfois intempestifs de la noble rivière, qui entend demeurer maître chez elle.

La Chaudière n'est pourtant pas un de ces cours d'eau sauvages, encastrés entre falaises ou enfermés dans un canyon. Au contraire, elle coule habituellement sereine entre les champs fertiles, qui viennent à sa rencontre tout en douceur, disparaît parfois derrière une colline verte et réapparaît ensuite plus légère encore.

En d'autres mots, on peut tout lui pardonner…

À se liguer contre elle dans ses moments de crise, les Beaucerons se sont alliés et entraidés. Aussi, à quelque part lui sont-ils reconnaissants de leur avoir permis de composer une population tissée si serrée.

Rimouski
Le rouge et le blanc

Entre deux bancs de neige, un froid noir sévissait. J'avançais en grimaçant, les coudes serrés contre les flancs, la tête baissée contre le vent, vers la chaude invitation d'un restaurant situé un peu en retrait de la rue. Le col de mon paletot relevé mais les mains nues, les doigts recroquevillés au creux de mes poches, imprévoyant que je suis, pressant le pas au risque de glisser et de m'étendre de tout mon long.

Arrivé à Rimouski peu avant midi, j'avais pourtant peiné pour trouver une chambre : tous les hôtels affichaient complets en raison d'un tournoi de hockey rameutant une bonne partie de la province. Heureusement, à l'hôtel Le Navigateur, ma toux et mon visage fiévreux – je rapportais un vilain rhume de Matane – ont su interpeller une responsable à l'hébergement. Cette dernière avait gardé une chambre libre « au cas où » et devant mon allure catastrophée elle conclut que le « cas », c'était moi. Et l'obligeance dont elle fit alors preuve ne se démentit pas de la part du personnel pendant tout mon séjour.

Une fois installé dans la salle à manger, de ma table près d'une baie vitrée, je me suis mis à observer la vie dans la rue Saint-Germain, la principale artère de la ville.

Bien vite j'ai dû m'avouer que je n'assistais pas au même hiver que celui de Montréal. De belles silhouettes, joliment vêtues plutôt que fagotées tristement contre le froid, allaient légères, le visage encadré de fourrure, et souriaient. Elles souriaient! Malgré la rafale qui leur mordait la peau, leur piquait les yeux et les forçait à marcher penchées en avant. Çà et là, des enfants couraient allègrement comme dans le confort douillet de leur garderie; des couples se tenaient la main avec la même désinvolture que ceux qui déambulent au parc Lafontaine en été.

Visiblement, ici, l'hiver on n'est pas contre. Et pourquoi pas? Converti, après m'être restauré, j'ai eu envie d'essayer, d'essayer, moi aussi, de prendre l'hiver à bras-le-corps plutôt que de le rejeter de toute mon humeur. Pas facile. Je crois qu'il faut être du pays. Grelottant de la tête aux orteils, le faciès tordu par la brise, j'ai croisé des visages tranquilles et me suis senti presque ridicule; mais, surtout, parfaitement inadapté.

La ville de Rimouski épouse le bord du fleuve en un arc de cercle qui permet au vent de monter à son assaut. C'est la plus importante agglomération de la rive sud à l'est de Lévis. Métropole régionale, elle compte un important centre d'études universitaires et un autre, de recherches océanographiques, mondialement réputé. Un campus de l'Université du Québec et l'Institut maritime du Québec y ont aussi pignon sur rue. Ville de services, Rimouski compte de nombreux commerces et industries, et son image est celle d'une ville moderne.

Quand on pense à son passé, généralement on ne se transporte pas au temps des Micmacs, ces Amérindiens nomades et chasseurs qui lui ont donné jadis son nom (signifiant «rivière à chien»), ou à l'ancienne seigneurie concédée à Rouer de Villeray et de la Cardonnière en 1688, mais à seulement un peu plus de 50 ans en arrière. Il faut dire que tout le blanc de l'hiver ne saurait faire oublier le rouge de la nuit du 6 mai 1950.

C'était un samedi. Dans la cour de la compagnie *Price Brothers*, où s'empilaient 15 millions de pieds de bois de chauffage, des vents violents de 80 à 120 kilomètres à l'heure rompirent des fils électriques. Ceux-ci chutèrent sur les billots secs. En moins de rien, tout s'enflamma, et le feu se propagea au moulin, à la manufacture de boîtes de carton tout près et au magasin général, situé lui aussi à proximité. On crut alors que l'incendie avait fait son plein de ravages puisqu'il avait atteint la limite de la rivière et qu'il ne restait rien à brûler. Mais non : comme non rassasiés, des tisons soufflés par la bourrasque au-dessus de la rivière attaquèrent les maisons de la rive opposée.

Le sinistre devint incontrôlable. Il ravagea 230 édifices (maisons, garages, commerces, institutions, établissements gouvernementaux et autres...) et jeta sur le pavé 2365 personnes, ce nombre excluant les patients hospitalisés et la clientèle des hospices. Ce n'est que le lendemain, un dimanche, qu'au milieu de l'après-midi mourut le bûcher. Il avait détruit plus d'un tiers de la ville.

Aussi intrépides devant le feu que devant le froid, les Rimouskois firent alors preuve d'un courage devenu légendaire et reconstruisirent aussitôt leur ville plutôt que de pleurer longuement sur leur malheur.

Baie-Saint-Paul

Le mal, à la baie Saint-Paul

Étrangement, même recluse derrière une double barrière de montagnes et de mer, Baie-Saint-Paul fut l'un des premiers lieux de colonisation en Nouvelle-France. En fait, dès le XVIIIe siècle, des Français s'y sont installés pour exploiter la forêt, puis y prendre racine et cultiver la terre. Isolé, difficilement accessible et, en conséquence, devant nécessairement se suffire à lui-même, ce premier établissement aurait bien pu être oublié du reste de la colonie. Sans doute en fut-il ainsi pendant les premières décennies, mais pas davantage. La rumeur populaire s'en empara et le nom de Baie-Saint-Paul courut bientôt sur toutes les lèvres.

À l'origine de cette renommée, peu enviable on le verra, deux tragédies qui embrasèrent les imaginations.

La première remonte à 1780, alors qu'un chef du service d'ingénierie de Québec, un nommé James Thomson, séjournait à la baie Saint-Paul dans le but de constater l'état des lieux et d'en faire rapport à ses supérieurs. Il y mit le temps et, après avoir inspecté le village de bout en bout, finit par se rendre au cimetière. Une découverte macabre l'attendait : un cercueil, sans couvercle, dans lequel reposait le corps d'une jeune femme, visiblement décédée peu de temps avant, peut-être 24 heures tout au plus.

Croyant qu'il s'agissait là d'un inimaginable oubli, Thomson s'enquit de cette situation auprès des villageois. Or, il constata que tous en étaient informés, mais qu'aucun n'entendait aller fermer la tombe. Stupéfait, déconcerté, l'ingénieur se renseigna davantage. Il apprit ainsi qu'il s'agissait du corps de l'épouse du charpentier. Ce dernier, après avoir découvert le soir des noces qu'elle n'était plus vierge, l'avait aussitôt dénoncée publiquement, et avec tant d'éclat qu'elle s'était suicidée. Une personne qui s'était enlevé la vie ne pouvant recevoir les sacrements de l'Église, sa dépouille avait été déposée dans la partie du cimetière réservée aux enfants morts sans avoir reçu le baptême. Comme si cette mesure avait été insuffisante, afin que ce tragique événement imprègne à jamais les jeunes filles de la paroisse dans leur vertu, le curé avait ordonné de laisser la bière ouverte pendant plusieurs jours...

Deux ans plus tard, alors que ce drame de mœurs continuait d'alimenter les propos à la grandeur de la colonie, la baie Saint-Paul s'illustrait à nouveau, cette fois à cause d'un mal étrange qui allait marquer sa chronique. Les symptômes étant des plus repoussants (ulcères sur les lèvres, la langue, l'intérieur de la bouche et les parties génitales), on crut d'abord qu'il s'agissait d'une forme de syphilis. Aujourd'hui, on penche pour une forme d'épidémie due au manque d'hygiène. À l'époque, on en imputa la faute aux marins écossais qui avaient débarqué au village quelque temps après la Conquête, d'où ce nom de « mal des Écossais ». Comme dans le cas de la peste, peu des personnes atteintes (plus de 30 % des 966 habitants du village) en guérissaient. La maladie, qui progressait beaucoup plus vite qu'on ne pouvait la traiter, était horrible : elle provoquait le pourrissement du nez, du palais, des gencives, des dents, de même que des boursouflures sur la tête et aux doigts. Au bout du compte, la mort, foudroyante, emportait les victimes dans d'atroces douleurs.

Si la maladie fit, à n'en pas douter, de terribles ravages, les statistiques qui établissent le nombre des victimes ne sont cependant pas très fiables. En effet, le docteur James Bowman, chargé du recensement des cas, était rétribué par tête : plus il comptait de malades, plus ses émoluments étaient élevés...

Avec le temps, et au terme de sérieuses études menées conjointement par des médecins et des historiens, on sait dorénavant que le « mal de la baie Saint-Paul » a atteint, tout compte fait, une grande partie de la population de la Nouvelle-France, entre 1782 et 1796. De plus, il est parti comme il était apparu, pour ne plus jamais revenir.

Devenu le centre commercial et institutionnel de la MRC de Charlevoix, Baie-Saint-Paul (ainsi érigé en municipalité en 1964) a maintenant la réputation d'être le paradis des artistes au Québec. La trentaine de galeries d'art qui ont pignon sur rue dans la ville gravent dans la mémoire des visiteurs les images du splendide paysage qui la cerne et qui constitue tout ce qui demeure encore des années 1700.

MÉTIS-SUR-MER

Le phare de Métis et celui du pilier de pierre

À Métis-sur-Mer, je longeais le fleuve dans la lumière éblouissante d'un après-midi de février. Les glaces de la batture formaient des crêtes et des pics qui pointaient vers le ciel dans des éclats de soleil aux couleurs de l'arc-en-ciel.

Je ne rêvais pas : la réalité était vraiment féerique.

Après avoir immobilisé ma voiture, je suis sorti dans le vent qui soufflait depuis le large, aussi blanc que la neige sous mes pieds, et à travers la bourrasque, j'ai aperçu, tour blanche avec lanterne rouge, un phare. Ce tableau m'a ramené pendant quelques instants, une fois de plus, à mon enfance à Trois-Saumons. Par temps lumineux, les fins d'après-midi d'été, j'allais m'isoler sur un rocher de la grève. En suivant le fil de l'eau, mon regard se portait au loin, là où le fleuve paraissait entre deux marées, puis il glissait vers un îlot rocheux et nu, flanqué d'une tourelle blanc et rouge, et d'une maisonnette dans les mêmes tons : c'était le phare du Pilier de Pierre.

Située à cinq kilomètres de la rive, au sud-ouest du quai de Saint-Jean-Port-Joli, cette colonne blanche en calcaire, au-dessus de la masse grise d'une île minuscule, faisait galoper mon imagination. J'inventais des histoires de naufrages, de prisonniers en fuite qui s'y étaient réfugiés, de gardien de phare vivant en ermite au milieu des vagues, de tempêtes furieuses montant à l'assaut de ce pilier rocheux dressé contre le vent...

De Métis, je connaissais bien le fameux jardin aux 3000 variétés de plantes originaires du monde entier, ouvert au public de juin à septembre, et j'avais déjà vaguement entrevu la silhouette de son phare, tout aussi porteur d'aventures, qui s'y fond dans le paysage du côté de la grève. Construit sur un affleurement rocheux qui s'avance dans le Saint-Laurent, il fut érigé en 1874 par un entrepreneur ontarien du nom de R. Cameron de Lancaster, au coût de 3518 $. Il fut mis en opération le 20 octobre de l'année suivante sous la responsabilité de son premier gardien, J. Jules Matin, qui s'y installa pour vivre.

Cette structure était alors une nécessité pressante. En effet, le golfe étant parsemé de hauts-fonds, la navigation y était des plus risquées. Au cours des années 1840, on y avait déploré une suite de naufrages, dont celui du trois-mâts *Amanda,* qui avait fait l'année suivante pas moins de 45 victimes (passagers et membres d'équipage). De semblables drames eurent cours encore en 1846 et en 1847. On en attribua la faute à l'absence d'un phare capable de guider les navires loin des courants les entraînant trop souvent près des hauts-fonds et des anses rocheuses, surtout en temps de brouillard et de tempête.

En 1909, ce premier phare fut remplacé par une tour de béton conçue pour soutenir le poids d'une lanterne beaucoup plus lourde et plus puissante. Neuf ans plus tard, il était muni d'une corne de brume, sorte de trompette géante tournée vers la mer et installée à huit mètres et demi au-dessus des hautes eaux. Il était actionné par un moteur à essence, et l'air comprimé qui en sortait émettait des sons stridents, que les navigateurs connaissaient pour être une mise en garde leur fournissant un repère sûr contre la mauvaise visibilité.

Les phares, et leur corne de brume, sont maintenant du passé. L'invention du système GPS (système mondial de positionnement, dont on retrouve une application commune dans nos voitures), les a rendus obsolètes, de sorte que les autorités gouvernementales les ont fermés tour à tour. Plusieurs d'entre eux, comme le soulignent les excellents ouvrages *Le phare de Métis*, d'Alexander Reford et Paul Gendron[1], et *Les sentinelles du Saint-Laurent* de Patrice Halley[2], ont été convertis en lieux historiques nationaux, ou protégés par différents règlements provinciaux ou nationaux.

Mais, étrangement, comme en respect de ma mémoire, oserais-je écrire, le Pilier de Pierre, celui de mon enfance, est toujours en fonction. Même que, pas plus tard qu'en 2006, il a été l'objet de travaux de réfection : on a refait les joints de pierre et remplacé les fenêtres de la tour ainsi que les vitres de la coupole.

Et pour tous ceux qui, comme moi, continuent à s'y intéresser, on a aménagé une halte routière sur la route 132, à la hauteur de Saint-Jean-Port-Joli, avec des panneaux d'interprétation racontant son histoire.

1. Publié aux Éditions Price-Patterson, avec la collaboration de *Heritage Lower St. Lawrence.*
2. Publié aux Éditions de l'Homme.

Saint-Pierre-de-l'Île-d'Orléans

Le village de Félix

En 1946 (certains disent que c'était en 1947), lorsque Félix Leclerc est *tombé en amour* avec l'île d'Orléans, ce fut très certainement un coup de foudre, car le choc se produisit dès le village de Saint-Pierre, situé à l'entrée de l'île. Il n'aura donc même pas eu à faire le « tour de l'île », qu'il allait chanter beaucoup plus tard, pour se convaincre que les lieux l'émerveilleraient au-delà du raisonnable. Ayant bien entretenu cet amour pendant près de 25 ans, en 1970, alors que la vie l'amenait ailleurs sur les scènes de sa carrière de chansonnier, il acheta d'un ami, qu'il s'y était fait dès le début, un lopin de terre pour y construire, de ses propres mains, sa maison.

Aujourd'hui, après avoir franchi le pont qui relie la côte de Beaupré à l'île, aussitôt gravie la côte qui mène au chemin Royal, on débouche dans Saint-Pierre. Presque immédiatement, à gauche, les visiteurs peuvent apercevoir, au sud de la route, l'Espace Félix-Leclerc, à la fois musée, centre d'interprétation et boîte à chansons.

Personnellement, j'aime m'y rendre quand s'essouffle la saison touristique et que les couleurs de la nature virent, par petites touches, à l'automne, que le fond de l'air annonce les grandes marées et que l'île commence tout doucement à se replier sur elle-même en prévision des mois d'hiver.

J'aime surtout y renouer avec l'histoire qui offre ici matière à émouvoir.

La chronique de Saint-Pierre raconte en effet une drôle d'aventure, celle d'un village qui s'est développé en gravissant, par paliers, le versant nord de l'île, jusqu'au sommet du coteau où il se situe aujourd'hui. Ses premiers défricheurs se regroupèrent d'abord dans un hameau construit tout près des berges du fleuve. En plus de couper des arbres et d'essoucher pour se gagner des champs au pied de la falaise, ils tirèrent ingénieusement profit du Saint-Laurent pour se déplacer en canot, chasser le gibier qui venait s'y abreuver et pêcher l'anguille en fascines (à l'aide de branches lacées entre des piquets plantés dans la vase). Une fois qu'ils furent suffisamment bien installés pour importer du bétail, les habitants nourrirent leurs bêtes au foin de la grève.

Plus tard, au XVIIIe siècle, voulant élargir leurs lots cultivables mais se trouvant trop à l'étroit pour ce faire, ils déménagèrent plus haut, sur un plateau à mi-chemin entre le pied du coteau et son sommet. Ils répétèrent l'opération jusqu'à ce que leurs déplacements progressifs les mènent au niveau du village actuel, de chaque côté du chemin Royal. Bientôt, ils y construisirent une église, la plus ancienne de l'île, et, selon certains historiens dont le réputé Michel Lessard, probablement la plus vieille du Québec actuellement, classée monument historique en 1958.

L'adaptation aux caprices de toponymie des lieux des fondateurs de Saint-Pierre en fonction de leurs besoins d'améliorer leur sort révèle une ingéniosité qui a toujours marqué les habitants de ce village, aujourd'hui rattaché à Sainte-Pétronille. Ainsi, à la Belle Époque (de 1890 à 1914), ils créèrent les industries et les ateliers les plus divers, allant de la forge à la menuiserie en passant par la beurrerie, la cordonnerie, la sellerie et le tissage. Puis, en 1927, déjà, toujours aussi doués pour l'initiative, ils fondèrent « La société agricole de Saint-Pierre » pour mettre efficacement en marché leurs produits locaux.

L'une de leurs aventures commerciales réussit si bien qu'elle leur valut un surnom, pas très enviable cependant, celui de « chaussons ». Le terme n'avait rien d'un jugement sur la qualité de leur personne. Il vient plutôt du fait que certaines familles – les Aubin, Ferland, Gagnon,

Plante... – exploitaient des fromageries qui répandaient dans le village une odeur assez remarquable, pas toujours appréciée.

Ne serait-ce que pour ce passé exemplaire, Saint-Pierre-de-l'Île-d'Orléans méritait d'être choisi par Félix Leclerc, pour qui « l'île tant aimée » était « la maison mère, le parc, le centre du monde ».

Rivière-du-Loup
L'histoire confuse des Rivières-du-Loup

D'abord, j'ai cru avoir mal lu. J'ai donc poursuivi mon chemin en pensant à autre chose. Puis, sur le chemin du retour, j'ai compris qu'il ne s'agissait pas d'une méprise de ma part : une rivière du Loup vient bel et bien se jeter dans le Saint-Laurent, à la hauteur du lac Saint-Pierre, un peu à l'est de Louiseville.

Il y aurait donc, au Québec, deux rivières du Loup ?

Eh oui ! Et pour comble de confusion, ces cours d'eau donnèrent – à la même époque – leur dénomination à deux seigneuries différentes. La première fut concédée en 1672 à Charles du Jay vicomte de Manereuil, officier du régiment de Carignan, et la seconde, l'année suivante, à Charles Aubert de La Chesnaye, l'homme d'affaires le plus riche de son temps.

Dans chacun des cas, trois hypothèses similaires sont avancées pour justifier l'origine de leur appellation commune. Une quatrième s'ajoute relativement à la seigneurie qui a donné son nom à cette ville du Bas-Saint-Laurent, mise depuis plusieurs années en évidence par le célèbre politicien Mario Dumont.

Selon les dires de certains, la désignation des deux seigneuries résulterait de la présence de loups-marins qui remontaient le fleuve jusqu'à l'embouchure des deux rivières. Pour d'autres, elle viendrait d'une tribu amérindienne, celle des Loups, ayant beaucoup fréquenté les deux régions. Enfin, si on se fie à une autre affirmation, on peut tout bonnement conclure qu'elle aurait été suggérée par la prolifération de loups à cet endroit.

En ce qui concerne la seigneurie dont la « Ville des loisirs » – titre qu'on lui a décerné pour souligner le nombre et la qualité de ses installations sportives – a conservé le nom, il s'ajoute une quatrième hypothèse, la plus plausible : son appellation célébrerait la venue de France, autour de 1660, d'un navire, *Le Loup*, dont l'équipage aurait été contraint d'hiverner dans l'estuaire de la rivière.

Au début des années 1800, alors que, de par tout le pays, le service postal se mettait en place, afin d'éviter les confusions d'adresses, on partagea les deux lieux en Rivière-du-Loup-en-Haut, pour celui de la Mauricie, et Rivière-du-Loup-en-Bas, pour celui des Appalaches.

La situation demeurant toujours bancale et peu pratique, en 1850, la ville « d'en bas » prit le nom de Fraserville, à la mémoire du seigneur Alexander Fraser (1763-1837). Quelque temps plus tard, soit en 1879, celle « d'en haut » fut rebaptisée Louiseville en l'honneur cette fois de la princesse Louise Caroline Alberta, fille cadette de la reine Victoria et épouse du marquis de Lorne (gouverneur général du pays de 1878 à 1883), qui devait visiter l'endroit cette année-là (visite qui n'eut pas lieu cependant).

Enfin, Rivière-du-Loup, telle qu'on la connaît aujourd'hui, existe depuis 1919.

Et puisque nous nageons dans les embrouilles, demeurons dans notre propos pour rappeler que les résidants de ce coin de pays, à l'instar des gens du Saguenay, furent surnommés « Bleuets » pendant les nombreuses années où ils firent la culture de ce fruit, dont les plaines environnantes abondaient.

Heureusement, Rivière-du-Loup a de nos jours son caractère propre, un caractère industrieux, accueillant et proculturel. Le titre de « ville entrepreneuriale au Québec » lui fut décerné en 2006, et le nombre des touristes qui y affluent ne cesse d'augmenter chaque année. Pour ma part, j'y trouve mon compte chaque fois que j'y viens et que je me perds dans les allées de la Librairie du Portage, un des établissements du genre les mieux fournis à l'est de Québec où, en plus des toutes dernières parutions, on trouve des publications locales fort intéressantes sur l'histoire de la région.

Trois-Pistoles
Une ville, un mouton et VLB

C'était avant Victor-Lévy Beaulieu, qui fréquentait alors l'école Pie-IX à « Morial Mort » (son expression pour Montréal-Nord), regrettant le temps de sa petite école de Trois-Pistoles. Regrettant surtout « les beaux étés à courir sur la grève de Fatima [...], à se baigner dans le fleuve devant les Islets D'amours, à ramasser des clams devant l'île aux Basques », ainsi qu'il l'écrira plus tard.

Il y avait certainement le soleil – on était au mois de mai –, mais on ne le voyait pas, tant le ciel était blanc. Quand même, ce fut l'un de mes plus beaux week-ends d'adolescent, alors que j'avais été invité chez le maire Desrosiers par son fils, dont je m'étais fait un ami au Collège Notre-Dame-des-Champs, à Sully, où nous étions tous deux pensionnaires.

« Quand nous nous promenions dedans la rue Jean-Rioux », toujours *dixit* VLB dans *Mémoires d'outre-tonneau,* son premier roman, je me souviens combien j'étais fier de me montrer aux côtés de ce garçon connu de tous et qu'on saluait quasi avec révérence.

C'était avant les centres commerciaux et, surtout, avant l'autoroute qui conduit à Rivière-du-Loup en moins de rien, quand la rue Notre-Dame débordait de commerces variés faisant battre le cœur de la ville. Le dimanche matin venu, les trois clochers de la colossale église Notre-Dame-des-Neiges avaient rameuté pas moins d'une foule pour la grand-messe, puis pendant près d'une heure, il y avait eu autour une telle agitation que j'en garde aujourd'hui le souvenir de mes premiers moments vécus véritablement « en ville ».

Ces dernières semaines, je suis retourné à Trois-Pistoles. Le maire Desrosiers est presque oublié, ce qui ne risque pas d'arriver à son successeur actuel. Il se trouve en effet que, par une étrange circonvolution de l'histoire, celui-ci, Jean-Pierre Rioux, porte le nom du premier seigneur de l'endroit (Jean Rioux, 1696-1710), appellation de surcroît de l'une des deux principales rues de l'endroit.

Tout d'abord, j'y ai rendu visite à un ami. En entrant chez lui, sur le plancher de bois poli de sa solide maison ancestrale, j'ai aperçu un joli petit mouton de plâtre dont j'aurais dit, s'il avait été vivant, qu'il me regardait.

Je m'en suis approché : il l'était !

La voix de Victor-Lévy Beaulieu a pris ma surprise au bond : « C'est "le petit d'homme" »...

Délicat et blanc, l'animal vint vers moi avant de me tourner le dos lorsque je fis mine de vouloir le flatter. J'y parvins quand même, étonné de sentir sous mes mains une laine aussi touffue. Et le maître de céans de me raconter comment il l'avait sauvé d'une mort certaine quand sa mère en avait accouché dans la mangeoire des vaches, le livrant ainsi à un mauvais sort, ce qui n'avait pas manqué : une gueule gourmande avait poussé brutalement le petit contre un rebord, broyant presque une de ses hanches. Aussi, entre les longues séances d'écriture, les moments consacrés à sa maison d'édition (les Éditions Trois-Pistoles) et ceux voués aux animaux de sa ferme, l'écrivain avait-il dû, aux deux heures, donner le biberon à l'agneau, qu'il avait soustrait d'une infirmité certaine, en pressant, tout aussi régulièrement, à la manière d'un *rebouteux*, le bassin de l'animal entre ses cuisses pour le replacer.

Nous avons ensuite parlé littérature, bien sûr, autour de l'édition intégrale de son roman l'*Héritage* qui sortait tout juste de presse, pendant que l'agneau, repentant ou je ne sais trop, venait s'étendre à mes pieds...

Quand j'ai quitté la demeure de VLB, dont la toiture surplombe une magnifique galerie, j'ai entrepris de visiter Trois-Pistoles, remontant les rues Notre-Dame et Jean-Rioux sans toutefois y retrouver des images de mon adolescence : le temps a assagi la ville au détriment de centres plus urbains. Mais les résidants ont su faire et ils ont raison d'affirmer maintenant que tout visiteur y trouve un juste équilibre entre ruralité et urbanité. Les lieux offrent maintes activités culturelles (entre autres les concerts donnés régulièrement à l'église et le Festival des contes et récits de la francophonie célébré en octobre de chaque année), touristiques, sportives et récréatives. L'histoire y a élu domicile à la maison du notaire qui fait concurrence à la maison hantée, et le Jardin des légendes a aussi son lot d'amateurs.

De même, le bord de grève est très fréquenté à partir de mai, alors que s'ouvre la saison du traversier qui relie Trois-Pistoles aux Escoumins. Sans doute pour éviter que l'on ne se détache de la patrie de Victor-Lévy Beaulieu trop aisément, il se trouve que le bateau s'appelle… l'*Héritage*.

Lévis, Bienville, Lauzon

De Lévy à Lévis, en passant par Bienville et Lauzon

Le besoin constant que j'ai de m'égarer dans mes souvenirs est un exercice qui m'a permis récemment d'identifier le premier moment de ma vie qui se soit logé dans ma mémoire.

C'était en 1947. J'avais trois ans. Ce devait être un dimanche puisque mon père était à la maison. Sans doute, aussi, étions-nous en été, car l'herbe était haute et le temps, chaud. Assis à même la pelouse, au pied d'un escalier qui conduisait à l'étage au-dessus d'un garage où habitait ma famille, je regardais des gens entrer et sortir de la pharmacie Dussault, où ma sœur m'amenait parfois rejoindre ma mère qui y travaillait. Nous rentrions ensuite ensemble à la maison.

La scène de notre sortie à deux nous menait à l'intersection des rues Commerciale et Fraser. Ces rues marquaient la limite commune de ce qui avait été le village éphémère (1863-1924) de Bienville et de la ville de Lauzon, une entité si parfaitement incorporée à Lévis qu'elle était considérée comme un quartier de cette dernière.

Ce mélange d'une agglomération inexistante et d'une municipalité perçue comme un quartier qu'on englobait communément dans une autre ville, n'est pas le seul aspect, disons, déraisonnable de l'histoire toponymique de Lévis : avant de s'appeler ainsi, cette localité se nommait... Lévy.

C'est que Samuel de Champlain, en 1632, puis l'ingénieur Jean Bourdon, en 1641, désignèrent toute la portion de la rive sud du Saint-Laurent, en face de Québec, du nom de Lévy, en l'honneur d'Henri de Lévy, duc de Ventadour, vice-roi de la Nouvelle-France de 1625 à 1627. Deux siècles plus tard, le 18 mai 1861 très précisément, naissait la municipalité de Lévis, ainsi baptisée pour honorer la mémoire du chevalier François-Gaston de Lévis (1719-1787), dont on se souvient comme ayant été le vainqueur des Anglais à la bataille de Sainte-Foy. Cet officier français est également celui qui, lors de la capitulation du 8 septembre 1760, aurait brûlé ses drapeaux à l'île Sainte-Hélène plutôt que de les remettre à l'ennemi.

Déjà, à l'époque de Lévy, l'endroit offrait la plus belle vue de Québec. Le général Wolfe l'avait vite noté, d'un œil de militaire plutôt que d'esthète cependant. Aussi, puisqu'il avait décidé de bombarder la ville, il ordonna à son commandant d'artillerie, le lieutenant-colonel George Williamson, de dresser ses batteries à Pointe-Lévy, ce qui fut fait (six canons et cinq mortiers) le 6 juillet 1759. L'Anglais canonna si bien qu'en septembre, tel qu'il le rapporte lui-même, il manquait de cibles : « Tant de choses ont été brûlées ou détruites, qu'y perdre des munitions ne vaut plus la peine [...]. »

On sait aujourd'hui que la batterie avait pris place là où se trouve l'école Marcelle-Mallet, ancien couvent des sœurs de la Charité. En revanche, la majorité des historiens enseignent que ce bombardement aurait été mené par le lieutenant-colonel Ralph Burton, mais ce dernier, alors blessé, était plutôt commandant d'un bataillon de réserve du 48e Régiment britannique. C'est l'ouvrage du docteur en histoire Peter Macleod, intitulé *La vérité sur la bataille des plaines d'Abraham* (Éditions de l'Homme), qui rétablit les faits en citant le journal même de Williamson. Tout ce livre est d'ailleurs une sorte de *Plaines d'Abraham par elles-mêmes*, c'est-à-dire que le célèbre affrontement y est raconté par les militaires et les civils qui l'ont vécu, plutôt que par des rapporteurs, des observateurs ou des historiens. La méthode donne lieu à des révélations encore plus étonnantes, voire spectaculaires, au point où le lecteur est conduit à raisonner dorénavant tout autrement à propos de cette bataille, qui n'en finit pas de faire parler d'elle.

Quant à moi, je reviens régulièrement sur les lieux de mon premier souvenir. La rue Commerciale n'existe plus. Elle a été scindée chaque côté de la rue Fraser : à l'est, c'est la rue Saint-Laurent et à l'ouest, la rue Saint-Joseph. Cela ne simplifie pas les choses lorsqu'on veut revenir en arrière, mais c'est ainsi : l'histoire est vivante et elle n'a de cesse de modifier la géographie des lieux.

L'Islet

Mon pays, mes amours

Je n'ai pas eu besoin, cette fois, de mettre de l'ordre dans mes souvenirs pour me remémorer mon temps de pensionnat au collège de L'Islet.

Je venais de terminer ma quatrième année à la petite école n° 2 de Trois-Saumons quand mon père m'annonça qu'en septembre, je serais pensionnaire chez les frères des Écoles chrétiennes. La nouvelle avait de quoi m'étonner : on n'y acceptait les élèves qu'à partir de la sixième année. Je ne sais d'ailleurs toujours pas ce qu'a plaidé mon père pour obtenir, disons, cette dérogation…

D'être le seul pensionnaire de ma catégorie fit que, bientôt, on me surnomma « Cinquième-Année ». C'était facile. Tous, les frères et mes camarades, ne m'appelèrent plus autrement. Je n'en fus pas autrement malheureux, même qu'aujourd'hui, je souris en me rappelant certaines situations cocasses auxquelles ce sobriquet donnait lieu. Ainsi, quand le frère préfet de discipline annonçait les activités de certains jours de congé dans les termes suivants : « Ce matin, la septième année ira en excursion au village ; la sixième disputera une partie de drapeau dans la cour et la "Cinquième-Année" sera en retenue ». Ou encore : « L'équipe de hockey du collège affrontera cet après-midi celle de l'École normale et c'est la "Cinquième-Année" qui gardera les buts. » Ou mieux, les rares dimanches de visite : « La "Cinquième-Année", votre père vous attend au parloir. »

L'idée de mon père de m'inscrire au pensionnat, appuyé par ma mère qui s'inquiétait que je ne puisse acquérir une grande culture au village (elle était originaire de Montréal...), se révéla par ailleurs une initiative des plus louables. En effet, en plus de bénéficier d'un excellent enseignement, j'ai pu y pratiquer de nombreux sports – hockey, baseball, football, etc. –, ce qui m'aurait été impossible dans mon hameau de Trois-Saumons. De plus, tous les vendredis soir, on y projetait des films, alors que la région était encore dépourvue de cinéma. Enfin, et peut-être surtout, il s'y trouvait deux grandes bibliothèques où le lecteur que j'étais déjà devenu pouvait se repaître à volonté.

Aujourd'hui, le collège est toujours là, mais il a changé de vocation: c'est maintenant une école primaire publique, l'école Saint-François-Xavier. En face se dresse la belle église Notre-Dame-de-Bonsecours, que je regarde toujours avec une certaine fierté: en 1968, mon père y a reconstitué le *panelage* du bas-chœur et rénové les sculptures en bas-relief du chœur qui avaient été exécutées par nul autre que le fameux sculpteur et architecte Pierre-François Baillairgé et par son neveu Thomas.

Depuis 1966, le village est devenu ville, une ville qui couvre un bien plus vaste territoire qu'à l'époque de «Cinquième-Année», car on y a annexé d'autres agglomérations telles que L'Isletville (autrefois L'Islet-Station) et Saint-Eugène.

L'origine du nom L'Islet est un rocher entouré d'eau, anciennement à l'est du quai actuel, qu'on appelait *l'islette*. On raconte que les Montagnais, lorsqu'ils descendaient le fleuve vers leur campement d'hiver situé beaucoup plus bas, y faisaient une halte annuelle pendant la période des grandes marées.

L'Islet est membre de l'Association des beaux villages du Québec. Une kyrielle de maisons ancestrales, magnifiquement rénovées, y sont certainement pour quelque chose. Pour s'en convaincre, Il n'y a qu'à consulter l'ouvrage de Mme Angèle Gagnon, *Le village de nos ancêtres*, qui en dresse un inventaire exhaustif avec photos.

Mais l'attrait touristique principal, c'est le Musée maritime du Québec (Musée maritime Bernier), fondé en 1968 et complètement rénové en 1983. Logé dans l'ancien couvent des sœurs du Bon-Pasteur, c'est le plus important du genre au Canada. Il perpétue le souvenir des 200 et quelque marins qui partirent de ce village pour courir les mers, et plus particulièrement celui du capitaine Joseph-Élzéar Bernier, aussi fils de l'endroit, qui s'est illustré entre autres pour avoir affirmé la souveraineté canadienne sur les territoires arctiques. En 2009, on a d'ailleurs commémoré le 100e anniversaire de l'exploration du Grand Nord par le célèbre capitaine.

Enfin, faut-il que je l'écrive, les Caron sont les descendants d'une des familles souches de L'Islet.

Neuville

Le singulier destin d'Angélique des Méloizes

Le jour avait été lourd, toutefois, en soirée, l'air avait tiédi. J'entamais mes premières vacances depuis plus de cinq ans. À la hauteur de Sainte-Anne-de-la-Pérade, j'avais quitté l'autoroute pour prendre le chemin du Roy, et je roulais à petite vitesse, me régalant du paysage. À ma droite, nappe lumineuse sous les rayons du soleil couchant, le fleuve dormait tant le soir était calme. Puis, à la brunante, il s'est produit un événement des plus particuliers qui, dans ma fatigue accumulée, a pris la dimension d'un moment magique.

Je circulais donc en direction de Québec lorsque, immédiatement après Donnacona, les vitres baissées, m'est parvenue une musique allègre venant de la grève. Curieux et souhaitant que l'instant perdure, en ralentissant j'ai aperçu un bateau illuminé comme un gâteau de fête, qui se déplaçait en parallèle avec moi. Il était si près que c'était à ne pas y croire : on aurait dit qu'il glissait dans la cour arrière des maisons de la rive.

Hélas ! je le perdis bientôt de vue. Néanmoins, il m'avait tant ravi que c'est on ne peut plus disponible à la beauté des maisons bicentenaires, faites de pierres anciennes, bordant la rue des Érables que j'ai fait mon entrée dans Neuville.

L'histoire de cette municipalité est multiple. C'est celle d'une seigneurie, d'une paroisse, d'une municipalité, et d'un village aujourd'hui devenu ville. Elle se complique encore du fait que certains historiens avaient situé la seigneurie de Neuville à proximité de Montréal et d'autres, affirmé que la ville aurait été fondée en... 1684!

En fait, cette localité située entre Donnacona, Pont-Rouge et Saint-Augustin-de-Desmaures, tout près de Québec, ne se développa en village qu'en 1748, avec l'aval de l'intendant Bigot. Dix ans plus tard, ce n'était toujours qu'un bourg, qu'on appelait Saint-Louis, et dont la superficie correspond aujourd'hui au cœur de Neuville, qui n'accéda au statut de ville qu'en 1996.

Son nom se rapporte au deuxième seigneur de l'endroit, Nicholas-Marie Renaud d'Avène des Méloizes (1696-1743), dont la fille, Angélique, devait connaître un destin à la fois singulier et flamboyant.

D'une beauté capiteuse, à l'âge de 21 ans, Angélique épousa le capitaine Michel-Jean-Hugues Péan, ce qui allait permettre à ce dernier de faire une avantageuse carrière dans les affaires. À sa résidence de Québec, sise rue Saint-Louis dans la Haute-Ville, une majestueuse propriété avec salle de bal, salons en enfilades et décors de riche hôtel particulier, il recevait déjà la haute bourgeoisie coloniale à laquelle appartenait, entre autres, l'intendant Bigot. Ce dernier tomba amoureux de celle qu'on disait la plus belle femme de la Nouvelle-France et il en fit sa maîtresse. Le mari accepta la situation sans trop grincer, et le deuxième plus important personnage de l'administration coloniale lui sut gré de sa mansuétude. En quelques années, il permit à Péan de faire fructifier sa fortune en revendant à prix exorbitant des marchandises et des denrées pourtant destinées aux besoins de la colonie. Après la Conquête, ce trafic valut au capitaine et à l'intendant d'être emprisonnés à la Bastille.

Quant à la belle Angélique, elle se réfugia dans la région de Blois, où elle se dévoua pour les familles canadiennes qui avaient dû, comme elle et son époux, fuir en France.

À Neuville, il ne reste rien de cette histoire qui alimente encore la rumeur historique. Ses habitants n'y perdent rien au change : le village a la réputation doublement enviable d'être un des plus beaux villages de Portneuf et la dernière banlieue cossue de la Vieille Capitale.

Pohénégamook
Histoire et légende

S'il avait fallu que je sois triste lorsque mon père m'a conduit, à l'âge de 13 ans, au pensionnat de Sully, la vue spectaculaire du lac Pohénégamook m'aurait lavé de toute nostalgie. Alors que, depuis Saint-Alexandre-de-Kamouraska, je n'avais eu sous les yeux qu'une alternance de forêts, de grands espaces marécageux, de paysages plats et sans intérêt, soudain, grandiose au pied d'un plateau, s'étala ce miroir d'eau reflétant fidèlement les couleurs de l'automne.

C'était en 1957. Cet été-là, une visiteuse d'origine suisse, Nicole Périat, affirmait avoir réussi à filmer la « bête du lac », la créature qui, depuis 1874, alimentait la plus opiniâtre légende de la région. Selon le témoignage de Janine Lupu, une jeune fille qui l'aurait elle-même aperçue en 1942, il s'agissait d'une sorte de monstre aux allures de dragon médiéval. Et, pour autant qu'on puisse y distinguer la créature dans un flou quelque peu trompeur, les images de la cinéaste de l'Office du film de Genève semblent lui donner raison : elles la montrent avec une bosse sur le dos et de grandes ailes dorées.

Si cette fable n'enlève rien à la beauté des lieux, elle a longtemps détourné l'intérêt des touristes. Comme pour la ranger une fois pour toutes au chapitre des mythes, à l'occasion du centenaire de Saint-Éleuthère (une des villes fusionnées avec Saint-Pierre-d'Estcourt et Sully pour former Pohénégamook en 1973), on baptisa ce monstre du nom de Ponik et on entreprit une campagne de promotion qui fasse dorénavant connaître l'endroit pour les véritables richesses de son histoire.

Les légendes, cependant, sont coriaces : dans les années 1990, on rapporte que le monstre Ponik aurait été observé par des groupes de 10 à 20 personnes à la fois ! Plus encore, l'une d'entre elles, Isabelle B., aurait failli être broyée par les mâchoires du dragon, n'eût été de l'intervention *in extremis* d'un dénommé Jacques Grimard.

Aujourd'hui, même si des diapositives de la bête seraient secrètement conservées aux Archives de Québec, et que plusieurs scientifiques ont étudié le phénomène, le mystère demeure entier. La rumeur continue néanmoins de courir. Allez savoir…

Mon père, lui, n'y prêtait pas foi. Il préférait croire à la naïveté du douanier qui le laissait rentrer au Canada lorsque, avant de me déposer au collège ou de me visiter, il traversait le petit « pont international » afin d'acheter quelques cartouches de cigarettes américaines, persuadé que l'officier ne se doutait pas un instant de son trafic. Jeté au-dessus de la rivière Saint-François vers 1906, ce pont constitue une passerelle frontalière entre les États-Unis et le Canada. Il fut appelé successivement « pont des amoureux », « pont des contrebandiers » et « tobacco bridge ». Aussi, on le devine, sa chronique recèle-t-elle bien des secrets… En 1993, même si nombre de bien-pensants avaient, dit-on, souhaité sa destruction, il fut réparé des affres du temps, affres auxquels il avait résisté, tout comme aux tentatives d'incendie et aux virulents embâcles printaniers.

Ce que mon père ignorait cependant, c'est que tout près, dans la montagne, se trouve une borne, communément appelée « Peer ». Elle marque la frontière canado-américaine et commémore un pan de notre histoire quasi occulté. Après la Conquête, les habitants de la Nouvelle-Angleterre (qui deviendrait une partie des États-Unis) rêvaient d'un accès direct au fleuve Saint-Laurent. Ils s'y forçaient graduellement une voie pendant que beaucoup de nos trappeurs, chasseurs et pêcheurs exerçaient leur pratique chez nos voisins, prétendant être sur leur propre territoire. Les choses s'envenimèrent à tel point que les deux pays furent au bord de la guerre. Le traité d'Ashburton-Webster signé le 9 août 1842 mit fin aux prétentions de chacun. En échange de la péninsule du Niagara, il céda une vaste superficie canadienne qui passa à l'État du Maine, et les hostilités n'eurent pas lieu.

Je crois bien que si j'avais raconté à mon père ce pan, pourtant véridique, de notre histoire, il n'y aurait pas cru davantage qu'à l'existence de Ponik.

Sainte-Anne-de-Beaupré
350 ans et plus...

L'histoire du sanctuaire de Sainte-Anne-de-Beaupré, dont on a célébré le 350e anniversaire en juillet 2008, n'est pas banale et suit de très près les événements majeurs qui ont jalonné la naissance de notre pays.

C'est en fait le parcours d'une extraordinaire dévotion qui remonte au deuxième voyage de Jacques Cartier, celui de 1535. Ayant quitté la France le 19 mai, le Malouin abordait, le 26 juillet, les côtes de Blanc-Sablon, et il rapportait dans son journal que ses navires s'étaient dispersés au cours de la traversée. Après 10 jours de vive inquiétude, il avait invoqué sainte Anne, patronne des voyageurs, pour qu'elle réunisse sa petite flottille. Peu de temps après, il écrivait avoir été exaucé et que ses trois bateaux étaient « à nouveau tous ensemble ».

Soixante-treize ans plus tard, soit en 1608, Samuel de Champlain mettait à son tour sous la protection de la sainte le voyage hasardeux l'amenant à Québec et, au pied du Cap-aux-Diamants, il lui dévouait toute l'aventure de son premier établissement.

Plus tard, Mgr de Laval, premier évêque de la colonie, affirmait sa conviction que le premier miracle de sainte Anne avait été que la colonie avait pu échapper aux mille et un périls menaçant sa croissance, particulièrement la rigueur du climat et l'animosité de certaines tribus amérindiennes.

C'est ainsi que d'aucuns affirment volontiers que la mémoire historique perpétuant le sanctuaire de Sainte-Anne-de-Beaupré est celle de tout un peuple.

Le premier miracle lié au Sanctuaire lui-même aurait été la guérison instantanée, en mai 1658, d'un nommé Louis Guimond qui travaillait aux fondations de ce qui allait devenir la première chapelle du Petit Cap, ancien nom de Sainte-Anne-de-Beaupré. L'abbé Thomas Morel, alors curé de ce village, rapporta que le fermier souffrait de « maux de reins » chroniques qui l'empêchaient d'effectuer ses travaux. Désireux néanmoins de participer à la corvée de la construction du modeste temple – déjà placé sous le patronage de sainte Anne –, après être parvenu à porter trois pierres d'un poids respectable, l'homme se serait redressé sans peine ni douleur au dos, douleur qu'il n'aurait plus jamais éprouvée. Le récit de cet événement considérable fut bientôt connu de par toute la colonie et aurait marqué le début d'une série ininterrompue de miracles au cours des années subséquentes.

Le phénomène fut tel que, cinq ans plus tard, il incita les résidants de Château-Richer à organiser un premier pèlerinage sur les lieux.

Et les miracles auraient continué à se multiplier. Aussi, le 30 septembre 1665, Marie de l'Incarnation, la fondatrice des Ursulines de Québec, écrivait-elle à son fils : « [...] il y a un bourg appelé le Petit Cap, [...] on y voit marcher les paralytiques, les aveugles retrouver la vue, et les malades, de quelque maladie que ce soit, recevoir la santé. »

On n'imagine pas aujourd'hui jusqu'à quel point la dévotion à sainte Anne prit chez nous de l'importance. On a pour preuve cette déclaration du collectif international des évêques affirmant, en 1872, qu'elle se distinguait de celle de tous les autres peuples du monde qui vénéraient déjà la mère de Marie. Ce culte ancré dans les mœurs des Québécois transparut même dans leur langage. Ainsi, on disait communément « faire sa sainte Anne », comme on disait « faire ses pâques », « marcher à sainte Anne » ou « marcher au catéchisme ».

Depuis 1878, les pères Rédemptoristes s'acquittent de la charge de la paroisse et des pèlerinages. Ils ont fait de Sainte-Anne-de-Beaupré l'un des lieux de pèlerinage les plus importants du monde, au point où l'on peut affirmer que le 350e anniversaire du Sanctuaire fut un événement international, un jubilé historique de toute première envergure dépassant l'encadrement religieux.

SAINTE-FLAVIE
Aujourd'hui comme hier

Mon père ne vivait pas du tourisme, mais des touristes. La distinction n'est pas fantaisiste ou creuse : il ne faisait pas des affaires dans l'industrie du voyage, mais avec des gens en voyage, des Américains.

Bon an, mal an, l'été venu, ceux-ci descendaient dans le Bas-du-Fleuve pour faire le « tour de la Gaspésie ». Malgré son appellation laissant suggérer quelque événement sportif, tels une course cycliste ou un marathon, ce tour n'était qu'une activité ludique qu'on pratique encore et qui consiste à longer la péninsule gaspésienne pour le seul plaisir des yeux.

En route vers cette belle aventure, les « gens des États », comme les appelait mon père, s'arrêtaient en nombre non négligeable dans sa boutique sise au bord de la 132 (alors la route rurale n° 2). C'était en fait un magasin d'artisanat où il vendait les pièces de marqueterie que pendant l'hiver il avait fabriquées, de même que les tapis en haute laine crochetés par ma mère à la même période.

À force d'en entendre parler par tous ceux qui s'y rendaient ou en revenaient, mon père trouva de moins en moins agréable de se faire raconter Gaspé, Percé et autre Port-au-Persil : cela le rendait mélancolique. C'est que, comme un marin à terre qui rêve de partir en mer, il songeait de plus en plus à faire, lui aussi, son « tour ».

Un automne, fin septembre, quand l'été traîne encore de beaux relents, il mit, disons, les voiles. Le voyage dura 10 jours. Il en revint avec en tête tout plein de paysages à nous décrire et pas peu fier de pouvoir partager ces beaux tableaux avec les clients qui, les saisons estivales d'ensuite, entretinrent ses souvenirs de la Gaspésie.

Chaque fois qu'il évoquait la région, il procédait dans l'ordre comme en toute chose et amorçait donc son propos en vantant les mérites de « la porte de la Gaspésie », le village de Sainte-Flavie.

C'est en effet à Sainte-Flavie, située à 32 kilomètres à l'est de Rimouski, au pied d'une côte douce qui mène à Mont-Joli, que la Gaspésie cesse d'être un lieu imaginaire. Le fleuve y prend ses premières allures de golfe et, près de la grève, à l'entrée du village, se dresse une tour carrée des plus modestes qui date de la dernière guerre. Isolée au milieu d'un terrain plat, elle est demeurée telle qu'elle était du temps où elle servait de poste d'observation des navires étrangers qui se seraient aventurés dans l'embouchure du fleuve. De ses quelques fenêtres, on peut contempler, dit-on, les plus beaux couchers de soleil qui soient. Ce n'est pas une légende : j'ai déjà assisté à ce spectacle rouge et or qui atteint des proportions infinies.

Brièvement, pendant deux ans, l'endroit porta le nom de Lepage. C'était au temps où Gabriel Thivierge et Louis Lepage en étaient les seigneurs. Lorsque l'immense territoire de leur seigneurie, qui allait de Sainte-Luce à Métis sur six rangs de profondeur dans les terres, fut scindé, il fut cédé au marchand Joseph Drapeau (on était en 1790). Il prit alors le nom d'une des trois filles de ce dernier, Angélique-Flavie.

Si l'élan de création de paroisses qui prit son ampleur au début du XIXe siècle conféra ce statut à Sainte-Flavie en 1829, ses résidants eurent peine à convaincre l'archevêché de Québec de leur accorder la permission d'y ériger leur propre lieu de culte. Ils ne l'obtinrent d'ailleurs qu'à l'été 1850. Quarante ans plus tard, leur église était vendue à la paroisse Notre-Dame-de-Lourdes de-Mont-Joli, et on entreprenait la construction d'une nouvelle, près du fleuve, laquelle fut proie des flammes en 1948.

Depuis rebâtie, cette église magnifique occupe toujours le centre du village. Elle est flanquée de l'ancien presbytère (1853) aujourd'hui devenu un centre culturel avec galerie d'art.

Jusqu'à récemment lieu d'exploitation agricole, de foresterie et de pêcherie, Sainte-Flavie s'est tournée vers une économie de tourisme et de service. De plus, on y trouve l'institut Maurice-Lamontagne, un centre de recherche voué aux sciences de la mer (cartographie des fonds marins, études sur les pêcheries et l'océanographie), ainsi qu'un centre d'interprétation du saumon de l'Atlantique.

Cependant, son décor ne trompe pas : c'est toujours avant tout l'entrée de la Gaspésie. Si mon père vivait, il s'y reconnaîtrait comme hier.

Saint-Ferréol-les-Neiges
Poétique au-delà de l'appellation

Je me rappelle son visage, coupé d'une fine moustache, et ses petits sourires lui ourlant les lèvres ou les yeux. Souvent, il disait qu'il comptait nous raconter plus tard quelque anecdote, mais il finissait par nous la livrer sans tarder. Son ton était toujours d'une tranquillité résolue et, comme une nostalgie, il avait le culte de la Côte-des-Neiges du temps où ce quartier de Montréal était encore la campagne et qu'il y exerçait la médecine.

Il s'agit de mon grand-père maternel.

Quelques fois l'an, nous allions le visiter, à Saint-Ferréol-les-Neiges, dans la maison de retraite où il vivait ses vieux jours. La dernière fois, il avait 87 ans. Ce jour-là, le froid sec ravivait le temps morne de décembre. L'endroit restait tout de même superbe, ce qui fit dire à mon grand-père qu'heureusement, la beauté des paysages serait toujours une vertu de ce monde.

Comme je l'ai déjà écrit dans *Histoire vivante du Québec: Québec et ses régions* (Éditions de l'Homme), l'appellation de ce village ressemble au titre d'un poème… À l'origine, c'est-à-dire à partir de 1774, on parlait tout simplement de Saint-Ferréol, ce toponyme devant honorer Jean Lyon de Saint-Ferréol, un ancien supérieur du Grand Séminaire qui fut également curé à Québec. Son emplacement avait auparavant été découvert (précisément en 1693) par le chanoine Louis Soumande, lequel y avait d'emblée pris la mesure de la richesse des terres parfaitement irriguées et de leur potentiel agricole. Quand même, il avait fallu attendre plus de 30 ans pour que, sous l'initiative des pères du séminaire, propriétaires de ce fief faisant partie de la seigneurie de Sainte-Anne-de-Beaupré, les premiers colons s'y installent.

En 1969, on ajouta à son appellation des mots évocateurs : « les-Neiges ».

C'est à Saint-Ferréol-les-Neiges que se trouve le site, unique et impressionnant, des sept chutes de la rivière Sainte-Anne où se déroulèrent, en 1968, les championnats canadiens de la descente en rivière. Avant l'exploitation festive de ces cataractes naturelles, on avait harnaché celles-ci (1912) afin d'électrifier la ville de Québec ainsi qu'une importante usine de textile sise à Montmorency.

Aujourd'hui, autour de la vieille centrale électrique, fermée en 1984, s'étend un parc (l'entrée est au 4521 de l'avenue Royale) offrant aux visiteurs tout un réseau de sentiers pédestres, des belvédères et des aires de repos. Surtout, il s'y trouve une terrasse d'où l'on peut admirer les sept chutes à la fois. La vieille bâtisse, qui accueillait chaque jour les employés de la centrale, a été aménagée en centre d'interprétation. Au moyen de bandes vidéo et de vieilles photos, on y raconte l'époque où les ressources hydroélectriques de la rivière Sainte-Anne étaient exploitées et de là, l'histoire globale de l'électricité au Québec. On y fait aussi état, avec force détails, de la construction des barrages, de la drave, et de ce qu'il en était de vivre sur les berges de la rivière aux fins d'exécuter ces travaux.

Bien sûr, mon grand-père est décédé ; mais, étrangement, les circonvolutions de la vie m'ont conduit, ces dernières années, à faire la connaissance d'un autre vieux monsieur de 87 ans. Il habite Brive-la-Gaillarde, en Corrèze, tout près d'un magnifique village, celui de Sainte-Féréole. C'est le bourg où Jacques Chirac a vécu sa petite enfance. Devenu président, il a vu à sa rénovation pour en faire l'un des beaux villages de France.

En dépit de notre différence d'âge, le vieux résidant de Brive est devenu mon ami. C'est un personnage à l'éternelle jeunesse qui, comme mon grand-père, tient un langage posé et cultive un amour sans réserve pour les belles campagnes. De plus, il a tant d'anecdotes à raconter sur son pays qu'il est devenu l'un de ses auteurs les plus prolifiques (110 romans publiés jusqu'à présent...).

L'autre jour, cet amoureux du Québec m'a suggéré que notre Saint-Ferréol soit jumelé à sa Sainte-Féréole. Le masculin de l'un conjugué avec le féminin de l'autre pourraient, en effet, donner un mariage parfait.

SAINT-JOACHIM

Paisible et fidèle à son passé

Je me suis souvent demandé quelle était la différence entre les hérissons et les porcs-épics. Même que j'ai cru longtemps que c'était pour faire peur aux enfants et s'assurer qu'ils ne les approchent pas que chez nous on avait choisi de donner à ce petit animal l'appellation de porc-épic. Depuis, j'ai appris que tandis que le hérisson, de pelage brun pâle, presque beige, est domesticable, le porc-épic, lui, est noir et résolument sauvage. Le premier est herbivore, alors que l'autre est insectivore. Les deux, cependant, ont de longs piquants dorsaux ; mais c'est leur seul trait d'agressivité. Ils sont à la fois parfaitement inoffensifs et peureux comme de jeunes oiseaux.

Ce que j'ignorais davantage encore, c'est qu'il arrive aux porcs-épics de dormir en plein jour au sommet, ou presque, de grands arbres. Aussi, lorsque ce matin de la semaine dernière j'ai aperçu au faîte d'un bouleau une masse de poils sombres, je suis demeuré un bon moment interdit. Quelqu'un a suggéré qu'il pouvait s'agir d'un carcajou, petite bête de notre folklore que je n'ai jamais vue mais longtemps imaginée dans les proportions de celui qui m'intriguait. Plus tard, j'apprendrai que le carcajou est un blaireau à très mauvaise odeur qui vit exclusivement dans les régions froides…

Ce n'est donc pas ce que j'ai vu sur une branche qui s'avançait au-dessus de la côte, que je descendais à petite vitesse pour contrer l'accélération dans laquelle voulait m'entraîner la très forte déclinaison. L'événement aurait pu constituer le fait marquant de ma journée tant il m'avait ravi. Je ne savais pas alors que, question ravissement, le meilleur était encore à venir.

Après avoir atteint le bas de cette pente, aussi longue qu'abrupte, je suis arrivé dans un modeste village situé entre falaise et fleuve. J'ai pris à droite, en roulant normalement sur quelques kilomètres, puis, très lentement, pour que dure le plaisir de savourer pleinement la beauté paisible des lieux. Des champs turquoise et des bosquets presque bleus, des fermes et des maisons parfaitement dessinées, aux couleurs sages, des bêtes qui broutaient – autant de tableaux superbes. Et cette impression de pérennité qui me rappela cette phrase d'un écrivain normand : « Dans nos belles campagnes, rien ne change, sauf, peut-être, le temps... »

Un peu plus loin, mon regard a été capté par un immense bâtiment, aux murs blancs sous toiture rouge, d'une prestance étonnante en ces lieux sans excès. Une plaque indiquait qu'il s'agissait du château Bellevue, la résidence des prêtres du Séminaire de Québec. Je me suis souvenu alors que le général de Gaulle y avait séjourné le temps d'une nuit, celle précédant le 24 juillet 1967 lorsqu'il avait lancé son fameux « Vive le Québec libre ! » du haut du balcon de l'hôtel de ville de Montréal.

Ensuite, je suis passé devant les abords de la Réserve nationale de faune du Cap-Tourmente. Il s'agit d'une réserve créée en 1969 pour protéger le marais à scirpes (plante herbacée aquatique) d'Amérique, qui constitue la première halte migratoire des grandes oies blanches. Réussite absolue en matière de protection des espèces : alors que la population de ces oiseaux comptait à peine 3000 individus au début du XIXe siècle, on en recense aujourd'hui plus de 1 000 000 !

Quant à l'église de Saint-Joachim, modeste et blanche, elle m'apparut de prime abord de peu d'intérêt. En revanche, parce qu'avec son architecture d'antan et ses allures bourgeoises parfaitement conservées, le presbytère qui lui fait face est des plus impressionnants, je me suis arrêté pour le photographier. Ce qui m'a donné l'occasion d'apprendre que, pendant la reconstruction de l'église, en 1779 (elle avait été détruite lors de la Conquête, exactement 20 ans auparavant), la chapelle de la paroisse avait été aménagée à l'étage de la maison du curé.

Et si l'église, quoique fort coquette, n'a rien de distinctif, c'est pour mieux surprendre par son aménagement intérieur. Son maître-autel est le plus beau jamais réalisé par François Baillairgé, dit-on. Au-delà des tableaux, des vitraux et des statues qu'on y retrouve, et qui présentent la même grande qualité artistique, ce qui rend ce lieu de recueillement encore plus exceptionnel, c'est qu'il garde en ses murs l'effluve de l'encens du dernier office. On constate de plus que les fleurs posées sur la balustrade viennent d'être renouvelées, que l'entretien ménager a été fait récemment et que, dans plusieurs bancs, des livres de prière sont encore ouverts.

Une église vivante, donc. En ces temps de baisse de la pratique religieuse, on conviendra que cela n'a rien de banal. Ce dimanche-là, on y célébrait, justement, la fête de la fidélité…

Saint-Laurent-de-l'Île-d'Orléans

On savait construire des bateaux...

C'était au temps – certains s'en souviendront... – où l'été, il faisait beau, et ce, plusieurs jours d'affilée. L'air était alors imprégné de ces agréables odeurs qui nécessitent un certain mûrissement au soleil, telles celles des champs fin prêts pour la fenaison, des sous-bois enivrants de parfums sauvages et des grèves quand le jonc est cassant.

Cependant, en ville, la chaleur, que se renvoyaient les immeubles alignés en muraille chaque côté des rues, s'intensifiait progressivement au contact de l'asphalte, où elle grésillait, devenant insupportable.

Lors d'une telle canicule, il y a de ça quelques années, alors que je logeais dans le Vieux-Québec, j'avais pris l'habitude de me libérer de cette touffeur inconfortable en me rendant régulièrement sur l'île d'Orléans.

C'était le plus souvent un peu avant midi. Une fois le pont franchi, je poursuivais ma route jusque sur le versant sud, m'arrêtant quelques instants avant de descendre vers le village de Saint-Laurent pour me ragaillardir en inspirant de bonnes bouffées d'air tempéré par les eaux du fleuve.

J'en profitais pour me plonger résolument dans une ambiance bucolique.

Ensuite, je roulais jusqu'au Moulin de Saint-Laurent, ce restaurant saisonnier dont les murs en pierre épousent si parfaitement les décors de l'île. Muni de ma plume et de mes cahiers, je prenais place sur la terrasse surplombant le ruisseau qui chute d'un coteau sur un lit de roches et ne désirais plus rien entendre que les friselis de ses remous.

Le plus beau était encore à venir : après le repas du midi, je me rendais au village.

Déjà appelé « lieudit de l'Arbre Sec », à cause d'un arbre desséché qui s'y tenait droit comme un chêne en pleine santé, Saint-Laurent fut d'abord baptisé Saint-Paul. Ce nom fut cependant modifié afin d'éviter la confusion avec le village Saint-Pierre, les apôtres Paul et Pierre, qu'ils commémoraient, étant par trop communément associés.

L'histoire de Saint-Laurent-de-l'Île-d'Orléans est d'abord marquée par la guerre de la Conquête, car c'est là que le général Wolfe installa son quartier général à l'été de 1759 en vue d'attaquer Québec en septembre. Heureusement cependant, le village sut s'illustrer bien autrement en devenant le haut lieu des chantiers maritimes de l'île. On y construisit d'abord des barques – près de 400 par année – permettant de communiquer avec la terre ferme. Bien adaptées à leur usage, et entraînées par la force du courant lorsque se retirait la marée, elles permettaient de rallier Québec en une heure seulement et d'en revenir sans effort aucun.

Pendant le XIXe siècle, ces chantiers – au début de simples initiatives familiales – firent place à des entreprises structurées requérant une main-d'œuvre nombreuse et des installations d'importance. Les trois principaux chantiers furent crées par les familles Lachance, Coulombe et Filion.

Celui de F. X. Lachance fabriquait des chaloupes de différents modèles, mais surtout des voiliers et des yachts à moteur. Les affaires de cette maison atteignirent leur apogée pendant l'année précédant la Deuxième Guerre mondiale, lorsque le gouvernement fédéral lui accorda des contrats pour la construction de baleinières. Cette commande nécessita d'ailleurs la mise en place d'une chaîne de montage, seule manière de fournir à la demande. Entre les années 1920 et 1960, le chantier des Coulombe se spécialisa de son côté dans la fabrication d'embarcations allant des goélettes aux bateaux à vapeur. Quant à celui des Filion, fort de son équipement d'un bassin de radoub, il fut en mesure de construire des bâtiments adaptés aux nécessités de la marine canadienne pendant la Deuxième Guerre mondiale. Ces chantiers prospères périclitèrent toutefois à partir de 1960, lorsque le développement des réseaux routiers mit fin au cabotage sur le fleuve.

Aujourd'hui, un bâtiment des plus originaux, qui se dresse à la sortie est du village et qu'on ne peut rater à cause de ses pilotis en pierre et de son lambris en bardeaux de cèdre, célèbre le temps des chaloupiers. Il s'agit de la Chalouperie Godbout, Godbout étant une famille ancestrale de fabricants de chaloupes (depuis 1838), dont la maison paternelle et ses dépenses, originales, se dressent toujours de l'autre côté de la route. C'est un centre d'interprétation du travail des chaloupiers en même temps qu'un écomusée ouvert au public de la mi-juin à septembre. Lorsque je l'ai visité, de jeunes gens en costumes d'époque n'étaient pas peu fiers d'y célébrer le passé, le passé sans lequel, on le sait, le présent serait à peu près n'importe quoi.

SAINT-SIMÉON
Toute la beauté de Charlevoix

C'est une image qui m'étonne toujours par ce qu'elle a d'inachevé, de suspendu, comme un tableau qu'un peintre n'aurait jamais terminé. Je veux parler ici des routes secondaires qui, dans certaines villes et villages du Québec, s'interrompent sur un quai où accoste un traversier (parfois un simple bac, actionné par le courant) permettant de franchir soit une rivière, soit un lac ou le fleuve. On quitte la route principale pour s'y engager : le tracé est bien asphalté, les abords sont parfaitement entretenus, le chemin se déroule sans surprise, mais ne mène nulle part… ou plutôt, dans le vide, au bout d'un appontement souvent quasi désert lorsqu'il n'est pas l'heure de la traversée. Un moment, on se sent, c'est le cas de le dire, dérouté…

À Saint-Siméon, j'ai pu vivre récemment cette singulière impression. Sur la place où se garent les voitures attendant que le bateau les transborde à Rivière-du-Loup, sur la rive sud du fleuve – un espace qui est un stationnement, mais qui ressemble plutôt à un terrain de jeu pour les enfants qui s'y poursuivent à bicyclette, s'amusent avec un ballon ou virevoltent autour d'un chien –, j'ai éprouvé une fois de plus ce sentiment d'être au bout d'un voyage et de n'avoir pourtant abouti nulle part. Un instant fugace qui céda bien vite sa place au plaisir d'être arrivé dans une des plus riches municipalités de Charlevoix en sites bucoliques.

Précédemment, sans savoir où j'étais, j'avais traversé ainsi une sorte de hameau, ravi par les maisons de couleurs vives bellement disposées autour d'une baie à berge de dentelle rocheuse qui miroitait au soleil. Au-delà de cette sorte d'étang pris à même le fleuve se succédaient des anses qui, telles des flaques de pluie, jetaient de la lumière entre les pierres. L'ensemble, avec les quelques bateaux qui attendaient la marée, les embarcadères minuscules et quelques bâtiments de formes délicates, avait quelque chose de baroque, d'infiniment léger. Cette vision matinale était d'une beauté à couper le souffle. J'ai dû m'arrêter le temps de m'y faire, de me saturer les yeux et l'esprit. Depuis, j'ai appris que ce port aux allures gracieuses porte le joli nom de Port-au-Persil, une (belle) partie de la municipalité de Saint-Siméon.

Sur le quai, parce qu'il était près de 10 heures et que je n'avais toujours pas pris mon premier café, en prenant garde aux enfants, j'ai rebroussé chemin et je suis revenu vers le centre du village. La boisson stimulante a réveillé encore davantage ma curiosité et j'ai décidé de reprendre la route vers l'est. Cela m'a permis de découvrir la jolie perspective que peut offrir Saint-Siméon depuis le motel Évangeline, réunissant dans le même tableau tous les éléments qui composent la renommée de Charlevoix : la valse des montagnes, une nature exubérante, la force tranquille du fleuve et, peut-être aussi, un ciel plus bleu qu'ailleurs quand le temps est au beau.

La région immédiate de Saint-Siméon, dont l'appellation vient d'un évêque de Jérusalem qui aurait été cousin germain du Christ, est aussi parsemée d'une quantité de petits lacs, dont le lac Louis, puis ceux de la Baie des Rochers, du Port aux Quilles et au Canard, ainsi que le Petit lac des Chevaux.

On comprendra donc que l'endroit est grandement à vocation touristique, qu'il est un paradis pour les amoureux de la nature, qui s'y retrouvent chaque année, en saison, par milliers. Ils s'y adonnent aux excursions, y empruntant, entre autres, le sentier de l'Orignac, reconnu comme l'un des plus divertissants de la province, ou s'aventurant sur le fleuve vers les baleines qui y viennent aussi.

Pour les plus sédentaires, les moins aventureux, il y a la longue plage qui s'étire depuis le quai où des pêcheurs impénitents (*sic*) taquinent l'éperlan. Il y a tant à faire et à voir, en fait, que lorsque le traversier s'est rangé le long du quai, je suis demeuré spectateur, avec nulle envie de partir.

Comme on remet au lendemain une activité qui peut attendre, je me suis dit que je ferai bien un autre jour la pause entre Saint-Siméon et Rivière-du-Loup.

SAINT-PASCAL
Souvenirs heureux

C'est à l'indifférence, voire à la trahison, d'une innocente brunette (selon les ethnologues, la brunette est le type même de la Québécoise) que je dois d'avoir, adolescent, bien connu Saint-Pascal de Kamouraska. J'étais alors interne chez les frères des Écoles chrétiennes au collège Monseigneur-Boucher, et mon cœur battait pour une jeune fille qui, derrière le comptoir, travaillait à la cafétéria.

Croyant à l'aisance des mots à s'allier avec mes souhaits les plus résolus, je lui avais écrit un billet bien naïf, mais aux intentions évidentes : je désirais la rencontrer pour lui faire la cour, imaginant qu'elle boirait mes paroles comme autant de breuvages envoûtants qui la convertiraient en amoureuse.

C'était pécher par présomption.

Au lieu de glisser mon pli sous son oreiller, comme c'était la pratique des dulcinées éprises des héros de mes romans épiques, elle le remit au préfet de discipline. Peut-être parce que les phrases en étaient bien tournées ou, plus certainement, pour me mettre dans un état horriblement inconfortable, le frère en fit lecture devant toute la population du collège. Il conclut en sommant l'auteur de venir lui avouer sa faute, sans quoi il révélerait son nom. Quelques heures plus tard, je parvenais à l'approcher loin des oreilles et des regards indiscrets. Après m'avoir écouté brièvement, il abrégea mon supplice et me fit la preuve que tout péché avoué est pardonné en me confiant la tâche d'aller tous les jours au village porter et prendre le courrier. C'était la mission dont rêvaient tous les pensionnaires. Elle conférait une importance non négligeable (le courrier, c'était sérieux !) et permettait de percevoir des pourboires versés par l'un et l'autre pour services rendus, tels l'achat de friandises, de cartes de hockey et autres fantaisies.

Pendant toute cette année-là, donc, je me suis rendu quotidiennement au bureau de poste, puis au magasin général de la famille Chapleau, en face, à l'épicerie, parfois même à la pharmacie et à la banque. Rien qu'à glaner ici et là des bribes de conversations, j'ai pu me faire une juste idée tant de ce qui occupait et préoccupait les gens de ce village, que de ce qui les réjouissait ou les attristait. Bientôt, ce dernier me devint plus familier que L'Islet, mon véritable foyer.

L'histoire de Saint-Pascal est celle d'une agglomération qui s'est d'abord développée grâce à la richesse des terres bordant les trois cours d'eau qui la traversent : les rivières aux Perles et Kamouraska et le ruisseau Poivrier. Au fil du temps, les Pascaliens se sont également tournés vers les exploitations agricole, forestière et laitière.

Sa chronologie est embellie par une légende rattachée à la Montagne à Coton, un mont situé à peu de distance de la limite nord-ouest de la ville. On raconte qu'en 1845, un dénommé Johnny Lainé, venu du Nouveau-Brunswick, s'établit au sommet pour y construire un ermitage dédié à la Vierge Marie. Des nuées de pèlerins se mirent à fréquenter les lieux. Lainé les accueillait tout de blanc vêtu, couleur du bâtiment principal et des dépendances, ce qui lui valut le surnom de Coton.

Quant à l'origine de l'appellation de ce qui est devenu aujourd'hui Saint-Pascal, une municipalité régionale majeure du comté de Kamouraska, elle est pour le moins singulière. À partir de 1821, la « paroisse » porta le nom de Saint-Paschal-de Baylon-de-Kamouraska, en l'honneur d'un obscur moine espagnol béatifié en 1690. Puis, en 1855, elle devint la « municipalité de paroisse » Saint-Paschal-de-Kamouraska, cette fois pour célébrer Paschal Taché, ancien seigneur de l'endroit (1786-1833).

Allez y comprendre quelque chose, y compris comment certains noms s'attachent à notre destinée... Ainsi, ce saint Pascal (Paschal) Baylon est le patron, et le nom, de la paroisse du quartier Côte-des-Neiges à Montréal où je me suis marié, à une brunette justement, qui avait autrement accueilli mes billets doux.

Saint-Roch-des-Aulnaies

Souvenirs d'enfance et présence de l'histoire

Quand j'avais 10-12 ans, je m'ennuyais le dimanche. Après le dîner dominical, avec mon frère et mes sœurs, je m'embêtais à mourir. Ma mère lisait au salon ; mon père faisait la sieste : pour eux, c'étaient des instants de belle tranquillité, mais pour les enfants que nous étions, des moments vides, de désolation.

Heureusement, avant qu'en désespoir de cause nous ne songions à commettre de mauvais coups, souvent mon père nous annonçait, en se levant, que nous partions nous promener en voiture. Lorsqu'une telle balade nous menait du côté de Saint-Roch-des-Aulnaies, nous savions qu'il nous offrirait des crèmes glacées – en ce temps-là, il n'y avait que deux parfums, vanille et fraise – et cette perspective gourmande avait le don de chasser nos derniers relents de morosité.

En ce temps-là aussi, les villages du Québec ne cultivaient pas encore l'histoire. L'exode vers les villes trompeuses, promettant à l'infini de l'embauche, pointait, mais le mouvement n'était pas encore vraiment engagé. Aussi, la campagne était-elle encore vraiment habitée, et les travaux exigeants de la ferme laissaient-ils peu de loisirs aux cultivateurs pour former des sociétés ou des corporations historiques, rénover d'anciennes résidences et faire revivre seigneuries, manoirs et moulins banals.

À l'époque, l'attraction principale de Saint-Roch, c'était la boutique d'un sculpteur qui avait installé, sur un axe planté au milieu du toit, deux maquettes motorisées d'avions. Leurs hélices les entraînaient dans une course sans fin, manège qui captivait les enfants. Mais l'idée d'Arthur Dubé, artisan dont les sculptures sur bois rivalisaient de qualité avec celles des frères Bourgault de Saint-Jean-Port-Joli, c'était avant tout d'attirer l'attention des touristes américains qui se faisaient nombreux pendant la saison estivale et qui constituaient sa principale clientèle. Son fils Denis, après avoir été professeur d'histoire, a pris plus tard la relève, et si ce sculpteur animalier a tout autant de talent que son père, il ne compte plus sur les Américains en été. Ce serait attendre en vain... Il trouve plutôt ses clients dans des boutiques spécialisées un peu partout au Canada. Et les avions de son père sont rangés avec ses souvenirs.

À l'occasion, pendant que nous dégustions nos cornets, mon père nous racontait des bribes d'histoire de la région. C'est ainsi que, très tôt, j'ai su que les ancêtres appelaient Grande-Anse tout le territoire qui allait de Rivière-Ouelle à la pointe de Saint-Roch-des-Aulnaies, à cause du bord du fleuve qui y suivait la courbe d'une importante baie. J'ai appris depuis que c'est autour de 1720-1725 que cette appellation ne désigna plus que le territoire de Sainte-Anne-de-la-Pocatière, nommé un certain temps Sainte-Anne-de-la-Grande-Anse, puis Sainte-Anne-du-Sud, pour le distinguer de Sainte-Anne-de-Beaupré, municipalité située sur la rive nord.

Se faisant guide touristique avant l'heure, mon père nous conduisait ensuite à deux kilomètres à l'est de Saint-Roch, dans un lieu appelé Village-des-Aulnaies. C'était une oasis d'arbres aux branches très feuillues murmurant chaque côté d'une étroite rivière, la rivière Ferrée, et qui couvaient, si l'on peut dire, les vestiges d'un moulin banal, d'une vieille scierie et d'un manoir. Longtemps l'endroit s'était appelé le Village-d'en-Bas. Depuis1842, sous l'impulsion d'Amable Dionne, originaire de Kamouraska mais qui fut maire de Sainte-Roch-des-Aulnaies pendant 30 ans puis seigneur de l'endroit, plusieurs bâtiments à caractère commercial ou industriel y avaient été regroupés. En outre, l'homme d'affaires y avait fait rénover le moulin auquel il avait ajouté une scierie. En guise de résidence, sur un plateau surplombant le hameau, il avait fait ériger un manoir à l'architecture de style dit « pittoresque ». La plupart de ces constructions subsistent encore. Elles sont ouvertes au public, qui peut y visiter un centre d'interprétation consacré au système seigneurial.

À Saint-Roch-des-Aulnaies, l'histoire a donc pris les devants, et les avions d'Arthur Dubé ne tournent plus que dans la tête de ceux qui s'en souviennent.

SAINT-VALLIER

Charme et légende

Je ne parviens pas à m'expliquer comment il se fait que, de toutes ces années où j'ai vécu dans le Bas-du-Fleuve – ce qui, forcément, m'a donné maintes occasions de faire le trajet entre L'Islet et Québec –, jamais je n'ai traversé le village de Saint-Vallier. J'en éprouve une sensation étrange, comme si le destin lui-même s'en était mêlé, m'interdisant cet endroit pour me garder de quelque maléfice. On dira que je fabule, et on n'aura pas tort. Il n'empêche qu'à Saint-Vallier persiste une légende qui n'a de cesse de faire frémir, telle une rumeur qui ne veut pas s'éteindre.

Mais je ne veux pas anticiper, et je reprends cette chronique là où elle aurait dû commencer.

Il y a une semaine, après avoir roulé sur la 20 pendant plusieurs jours et trop mangé dans les restaurants comme nous y condamne le voyage, un matin, j'ai eu envie d'un déjeuner qui ne soit pas la formule habituelle des cantines d'autoroutes ou autres. Sans préméditation aucune, j'ai pris la première sortie en direction du fleuve et au bout de quelques kilomètres, j'ai aperçu le clocher d'une l'église au milieu d'un essaim de belles maisons : Saint-Vallier.

Je connaissais son histoire.

D'abord, disons que l'endroit aurait bien pu s'appeler Trois-Rivières… En effet, trois cours d'eau s'y versent dans le fleuve : les rivières des Mères, Blanche et Boyer. Cette dernière en est la plus renommée, et ce, depuis le début du XVIIIe siècle, alors que plus d'un moulin puisait son énergie à même son courant. Aujourd'hui, elle est la raison d'être d'un domaine qui porte son nom. De son parc, au printemps et en automne, on peut admirer les milliers d'oies blanches, en migration, qui recouvrent la grève comme neige avant de s'envoler dans un ramage ponctué de battements d'ailes bruissant joliment.

Si le village s'appelle plutôt Saint-Vallier, c'est qu'à partir de 1720, Louis-Joseph Morel, un des enfants du seigneur Olivier Morel de La Durantaye, à qui ce dernier avait donné une partie de la seigneurie portant son nom, céda aux religieuses de l'Hôpital général de Québec la portion où se trouvait le bourg qui allait devenir l'agglomération actuelle. Reconnaissantes envers celui qui avait fondé leur institution et qui était personnellement intervenu dans cette transaction en leur faveur (Mgr Jean-Baptiste de La Croix de Chevrières de Saint-Vallier), les Augustines lui donnèrent son nom.

Lors de la Conquête, la petite paroisse ne comptait que 900 âmes, essentiellement des pêcheurs et des agriculteurs. C'est entre les Régimes français et anglais (1760-1763) qu'il y survint un drame à l'origine d'une des plus tenaces et macabres légendes de notre histoire, celle de la Corriveau.

Elle raconte que Marie-Josephte Corriveau, née à Saint-Vallier le 13 mai 1733, et mariée dès l'âge de 16 ans, aurait tué, qui en l'étouffant avec son oreiller, qui en le pendant, qui en lui versant du métal fondu dans l'oreille, qui en l'assommant à coups de hache, qui en l'empoisonnant et, enfin, qui en l'empalant sur une fourche, six maris. Jugée coupable par un tribunal militaire anglais, elle fut condamnée à être pendue et exposée dans une cage à une intersection achalandée de Lévis. On raconte aussi que, pourtant morte, dans sa cage, elle avait continué à gémir en répétant les derniers mots prononcés de son vivant: « Je me vengerai. »

La vérité est tout autre, quoique pas très claire. Ainsi, Marie-Josephte Corriveau aurait effectivement tué, mais un seul de ses maris, à la limite peut-être deux… Le premier serait mort de manière

« inconnue » et le deuxième, un alcoolique qui la battait, des suites des coups de hache qu'elle lui aurait assénés dans son sommeil. Accusée de meurtre, elle parvint à convaincre son père d'avouer qu'il était responsable des deux crimes. Puis, voyant ce dernier condamné à mort, elle décida plutôt de se livrer et de dire la vérité.

Elle fut pendue et son cadavre, exposé dans une cage de fer accrochée à un carrefour de Lévis.

Le matin où je pénétrai pour la première fois dans Saint-Vallier en quête d'un déjeuner original, les coquettes habitations et la ravissante perspective qu'offre la rue principale chassèrent aussitôt la Corriveau loin de mes pensés. Et lorsque je dégustai le plat qu'on m'avait servi à la boulangerie Le lever du jour (qui fêtait en 2009 son 25e anniversaire), la seule réflexion un peu morose qui me traversa l'esprit, c'est de n'être pas venu avant dans ce village, l'un des plus charmants de la province.

Trois-Saumons
Le pays de mon enfance

Du temps de mes jeunes années à Trois-Saumons, les beaux jours d'été, j'aimais enfourcher ma bicyclette pour pédaler à toute haleine sur le chemin rural, dangereux, déjà, à cause du nombre toujours croissant des autos qui y fonçaient, maîtresses des lieux. Si le soleil ardent provoquait en moi une émotion heureuse, c'était avant tout la perspective de me baigner qui me donnait des ailes.

Dans un état euphorisant, mêlant peau en sueur et fatigue corporelle, après avoir grimpé la côte qui menait en haut d'une belle chute, au promontoire formé par les vestiges de l'amorce d'un pont démoli, je basculais ma monture dans l'herbe et m'avançais sur la dernière poutre qui pointait dans le vide. C'est alors que je voyais, si douce, luisante et fraîche, cette rivière où j'allais bientôt m'ébattre.

La baignade, oui, c'était bien ; mais le mieux, c'était d'attraper des carpes. Pas de les pêcher, de les prendre plutôt au collet. Elles se tenaient coites, au pied des piliers rongés par le temps, dans les coins d'ombre où l'eau était à l'abri de l'incandescence du soleil. Je me positionnais au-dessus d'elles sans un mouvement presque, tendant un bâton court auquel j'avais lié un vulgaire collet de broche que je parvenais à leur glisser autour du corps sans éveiller leur attention. Ensuite, d'un coup sec, je remontais ma prise.

Ces carpes de la rivière Trois-Saumons en avaient passionné bien d'autres avant moi. L'historien Gérard Ouellette raconte que, dans les années 1600, la rivière en débordait au point où, le dimanche, les habitants venus à la messe désertaient souvent l'office afin d'aller les taquiner. En conséquence, le curé de l'endroit avait interdit toute pêche dans cette rivière. Dès lors, ce cours d'eau avait cessé d'être fréquenté. Mais un bon dimanche, un paroissien délinquant pénétra en coup de vent dans l'église pour annoncer qu'il venait d'apercevoir trois gros saumons remontant côte à côte le courant. L'incongruité de la nouvelle n'en fit pourtant pas douter et l'anecdote s'installa si bien dans la chronique qu'elle détermina l'appellation de la rivière et du lac dont elle est le déversoir.

Trois-Saumons... « C'est ici que tout a commencé », écrivait l'historien Gaston Deschênes, en avril 1999.

Il en référait alors à l'importance de Trois-Saumons (originalement situé dans la seigneurie Langlois, du nom du premier seigneur) aux XVIIe et XIXe siècles. Le tout débuta bien modestement par l'exploitation agricole qu'y établirent les deux premiers censitaires, Nicolas Durand, sur la rive est de la rivière en 1680, et Joseph Caron, sur la rive ouest en 1786. Au cours des décennies subséquentes, profitant de la présence d'institutions religieuses, d'un manoir (celui de Philippe-Aubert de Gaspé) et d'un moulin, les lieux se développèrent et acquirent rapidement de l'importance. Après la Conquête, les membres d'une famille anglaise, les Harrower, en louèrent le moulin auquel ils en ajoutèrent un autre, à scie celui-là. Comme ils étaient aussi propriétaires de goélettes, ils construisirent un quai et s'adonnèrent au transport du bois, des céréales, du whisky et, toujours selon M. Deschênes, de la potasse, produite au Port-Joli (aujourd'hui Saint-Jean-Port-Joli). Leurs bonnes affaires en attirèrent d'autres et, bientôt, marchands et artisans s'établirent de plus en plus nombreux dans le bourg aux abords de la rivière. C'est ainsi que, dans la deuxième moitié du XVIIIe siècle, l'endroit devint un très gros village (ou une petite ville...), avec bureau de poste, gare ferroviaire, hôtels et toute une myriade de commerces et de services. Tant de monde y venait pour travailler ou pour y faire des achats que, selon Gérard Ouellette, les rues grouillaient d'une population si dense qu'on y trouva bientôt des bordels (on disait des *boucans*, ou maisons louches) où les *Tapichotte, Manne Anglaise* et quelques autres péripatéticiennes eurent l'occasion de se faire un nom.

Dans un autre ordre de commerces, les Price, magnats de l'industrie forestière dans l'histoire du Québec, y exploitèrent à leur tour le moulin, cœur battant de l'agglomération jusqu'à ce qu'ils jugent que l'exercice n'était plus rentable. Avec leur départ s'éteignit l'ère de prospérité de cette localité qu'on avait crue vouée à un brillant avenir.

Aujourd'hui, Trois-Saumons – à ne pas confondre avec le lac Trois-Saumons – n'est plus qu'un souvenir entre L'Islet et Saint-Jean-Port-Joli, plus précisément entre les rivières Tortue et Trois-Saumons, le long de la Côte-du-Sud.

Saint-Eugène-de-L'Islet

L'essentiel persiste

Noël est une chanson populaire. Chaque année, cette fête chrétienne revient nous rappeler des moments d'enfance heureuse, des réunions familiales festives, des instants d'amour et de tendresse empreints d'une certaine féerie exaltante. Hélas ! au cours des ans, plusieurs de ses beaux refrains se sont perdus dans la modernité, la commercialisation de cette fête, l'abandon de la pratique religieuse et la désertion des vieux villages.

Il ne sert à rien de forger des théories, de chercher des réponses : c'est comme ça…

Parlant de villages anciens, celui de Saint-Eugène illustre bien le propos : son appellation a officiellement été rayée de la carte. On désigne aujourd'hui l'endroit comme « la partie de la municipalité de L'Islet qui se trouve sur l'ancienne municipalité de Saint-Eugène » ! Ce sort réducteur est le même que celui d'une pléthore de municipalités cannibalisées par les fusions, cet amalgame de mauvais aloi dont l'une des plus déplorables conséquences consiste en la perte de plusieurs repères historiques.

Heureusement, Saint-Eugène, dont la dénomination fait référence à la fois à l'évêque de Carthage (481-505) et à Olivier Eugène Casgrain (1812-1864), ancien seigneur de L'Islet-Saint-Jean, n'entend pas s'éteindre pour autant. Sis sur un coteau regardant le fleuve, l'endroit est particulièrement choyé par une nature généreuse qui multiplie les arbres rameux et les sols propices aux enjolivements floraux. En hiver, la campagne sereine y est d'un charme et d'un ravissement incomparables.

Parmi ses résidants absolus, Yvon Langlois, un habile jardinier amateur à la retraite, aime se rappeler son village d'antan, qu'il n'a jamais quitté. Quand il en parle, c'est d'un ton qui sied aux propos de toute première importance.

Il évoque entre autres, une tradition perdue qui marquait le début du temps de Noël : la « boucherie ». L'événement se tenait le 8 décembre : on estimait alors qu'à partir de cette date, très exactement, le temps serait assez frais pour assurer la conservation de la viande dans les dépenses. Tôt le matin, on attelait les chevaux à des « boîtes à cochons » qui allaient de par la paroisse prendre chez les cultivateurs de 25 à 30 porcs à point pour la consommation. Dans un abattoir improvisé au milieu du village, après les avoir tués, on les ébouillantait. Un représentant de chaque famille venait en chercher un, dont il découpait la carcasse pour en détacher les différentes parties que pour des fins de salubrité on couvrait ensuite de sel.

Il me raconte ces pratiques d'un autre âge tout en marchant fermement. Rendu à la place de l'église, il me fait remarquer :

– « Il y a quelques années seulement, on trouvait ici un dépanneur et il y en avait un autre à l'autre bout du village qui disposait aussi d'une épicerie. Mon voisin tenait un poste d'essence, presque en face de la caisse populaire. Tout ça est fermé aujourd'hui, il ne reste plus que le bureau de poste. Pour combien de temps ? »

Il ajoute, avec cette pointe d'optimisme volontaire qui le caractérise :

« Le taux de la population se maintient. Tous ceux de ma jeunesse sont partis, mais plusieurs de leurs enfants, après avoir fondé une famille et s'être installés ailleurs, reviennent. À cause de la douceur de vivre, de la pureté du silence, peut-être… »

Et Noël ? C'est redevenu la fête des familles, la présence accrue des enfants lui ayant redonné les allures réjouissantes du temps où Yvon était un jeune garçon.

La famille… En fait, elle a redonné vie au village et est devenue sa valeur première. Ainsi, cet ancien moulin à farine transformé en gîte haut de gamme depuis 1985 et qui fut récipiendaire du Grand Prix du Tourisme québécois en 2008, l'Auberge des Glacis, va jusqu'à fermer ses portes pour la période des fêtes afin de permettre aux propriétaires d'accueillir comme il se doit leurs familles respectives.

C'était ainsi qu'à Saint-Eugène l'essentiel persiste.

Saint-Michel-de-Bellechasse

Le bonheur à l'Anse-Mercier

Peut-être est-ce la chance d'avoir passé ma première jeunesse près du fleuve qui m'a permis d'apprendre ce qui ne s'enseigne pas: admirer la beauté des paysages, tableaux vivants de la nature changeante.

Ce qui me donne l'occasion de moments délicieux.

Ainsi, à la fin de l'été, quand se ravivent les premières couleurs de l'automne, un matin, je me suis installé sur la grève de l'anse Mercier, à Saint-Michel-de-Bellechasse, devant la vue, éblouissante au soleil, de la marée montante sur fond d'île d'Orléans. À mes côtés, personnage tranquille s'il en est, mon cousin, qui y possède un chalet d'époque (1932) où il m'invite à répétition, partageait mon silence admiratif. Nous étions là à ne rien faire, sans attente et sans envie, quand il me fit cette remarque lumineuse:

«On n'a pas besoin de parler ni même d'écouter de la musique, d'aller se chercher une bière ou de manger des *whippets* (plaisir coupable dont il raffole, tout comme moi): on est parfaitement libres et satisfaits.»

Libres et, par là, heureux: c'est aussi ce qu'il voulait dire.

La vie coule ainsi à l'anse Mercier depuis qu'en 1930, Joseph Mercier, un cultivateur converti en constructeur de quais et de ponts de par toute la province, a subdivisé sa terre pour vendre à des vacanciers des lots où construire des chalets tout en préservant la nature et le caractère agreste de ce joli bord de mer.

Sur cette grève, où mon cousin et moi rêvassions, il court une légende. Une nuit, c'était il y a longtemps, longtemps, une goélette, chargée de pommes de terre et de fromages, se serait échouée sur les roches plates de tuf rouge, sur lesquelles il est si agréable de marcher à marée basse. Mercier et des membres de sa famille auraient alors rescapé l'équipage et sauvé la cargaison.

Cette fiction n'est pas loin de la réalité : un imposant bâtiment de la marine marchande canadienne se serait effectivement échoué, mais sa cargaison était à vrai dire plus composite et l'équipage s'en serait tiré de lui-même, avec l'assistance du fermier-constructeur. D'ailleurs, l'événement lui valut la remise, en grande pompe, d'une médaille de reconnaissance de la part des hautes instances gouvernementales.

L'histoire de l'anse Mercier est d'abord celle d'une exploitation agricole des Augustines de l'Hôpital général de Québec. En 1720, le territoire de la seigneurie de La Durantaye, du nom de son premier seigneur, Olivier Morel de la Durantaye (1640 -1716), était si immense qu'il en devenait ingérable. Aussi, il fut fractionné et Mgr de Saint-Vallier se porta acquéreur de sa partie au profit des religieuses dont il avait fondé l'établissement hospitalier. Elles firent de cette concession la seigneurie Saint-Vallier. Quoique la superficie qui constitue aujourd'hui l'anse Mercier n'ait pas été incluse dans cette nouvelle seigneurie, les Augustines en développèrent l'agriculture pour agrandir leur « garde mangé » (*sic*). De ce fait, la baie prit le nom d'Anse-des-Mères.

En 1767, les protégées de l'archevêque firent faillite. L'endroit connut alors une succession de propriétaires jusqu'à ce que l'un des ancêtres Mercier l'achète.

La richesse historique de ce coin de pays me dicterait encore bien des pages auxquelles il me faut renoncer, faute d'espace. Cependant, j'y reviendrai, fort de cet autre trait de mon cousin, à qui je demandais s'il songeait à remodeler son chalet, parfaitement entretenu, toujours d'allure identique à celle de sa construction il y a 75 ans, et qui me répondit, fier comme l'histoire elle-même: Oh, non! Il ne faut surtout pas faire mourir le passé…

Convenons qu'on ne saurait mieux dire.

Rivière-Ouelle

Un village au nom de rivière

Heureusement, le temps froid n'est pas une condition permanente de notre climat. Mieux encore, il ne parvient pas, en dépit de ses attaques récurrentes au cœur de l'hiver, à nous faire cesser de croire qu'on s'en va bon gré mal gré vers juillet. Ces réflexions me sont venues alors que je roulais dans le Bas-du-Fleuve, à la hauteur de Rivière-Ouelle. Dans un panorama d'un blanc soyeux mais gelé à pierre fendre, je me suis rappelé, avec une étonnante acuité, un temps où j'y venais sous un soleil écrasant.

Lorsque je n'étais pas encore un adolescent, je pouvais m'émerveiller de tout. Pendant les grandes canicules qui revenaient alors presque immanquablement, en juillet justement, mon père, imprévisible mais dont on attendait avec effervescence la décision imminente, nous annonçait d'un coup : Allez, nous partons à la mer !

Heureux de n'avoir rien à emballer – nous savions que nous mangerions des hot-dogs au Roi de la Patate, qui avait enseigne sur la route du quai –, ma sœur et moi ne mettions pas longtemps à être fin prêts. Il n'empêche que nous nous activions comme pour un grand voyage, une grande aventure.

Moins de 45 minutes plus tard, nous étions sur la plage de Rivière-Ouelle. Chez moi, à Trois-Saumons, le fleuve coulait bien aussi, mais son eau était douce et tempérée, alors que là, comme encouragées par les cris des mouettes, les vagues qui se jetaient contre le quai où accostaient autrefois des goélettes chargées de pulpe, avaient l'odeur du large, du sel marin et des embruns. Assis sur les galets, nous suivions leurs mouvements avec toute l'attention de quelqu'un qui aurait peur d'en manquer une. En même temps, nous jaugions notre courage : qui le premier allait piquer une tête dans l'eau glacée ? Nous en faisons toute une affaire : la tension était palpable ; l'ambiance, celle des grands moments.

L'idée ne nous serait pas venue de nous demander comment ce village avait pris le nom d'une rivière tant nous étions captivés. Ce n'est que 55 ans plus tard, en Poitou-Charentes, que j'appris d'abord l'origine du nom Ouelle. J'étais au pays de nos ancêtres, plus précisément à Brouage, lieu de naissance de Samuel de Champlain. Ce dernier y avait un ami, Louis de Houel, contrôleur des salines de Brouage, qui l'aurait accompagné au Canada à titre de membre de la compagnie des Cent-Associés. Si son passage en terre de Nouvelle-France demeure obscur et ne peut être avéré de manière catégorique, il reste indiscutable que l'homme était un grand bienfaiteur des œuvres des Récollets ; il fut même, un temps, secrétaire du roi en Nouvelle-France.

Cela ne dit cependant pas pourquoi une rivière a donné son nom à un village. L'explication est simple : par là, on a voulu lui rendre hommage comme on l'aurait fait pour quelque personnage important. En effet, l'agglomération s'est développée et a grandi grâce à la générosité de ce cours d'eau qui a nourri la région de poissons, de petit gibier (lièvres, tourtes, perdrix et castors en abondance) et de plus gros, comme les orignaux, qui y pullulaient. En outre, ses multiples méandres ont toujours favorisé une généreuse irrigation des terres qui la bordent. Au surplus, cette rivière était une voie de pénétration sans pareille dans les forêts où on trouvait les essences de bois nécessaires pour construire maisons et embarcations.

Il n'y a pas que ses eaux à saveur de bord de mer qui continuent de couler dans la mémoire des Rivelois. Leur lieu est aussi celui d'un haut fait d'armes de notre histoire survenu en 1690. Unissant leurs efforts et leur pugnacité, 40 (seulement !) de ses résidants sont parvenus à repousser un détachement de la redoutable flotte de sir Williams Phips, en route vers Québec.

Depuis le temps des beaux après-midi de plage à Rivière-Ouelle, j'ai appris aussi que le fleuve y est véritablement beaucoup plus froid qu'ailleurs dans cette région, à cause d'un fort courant qui vient du fjord du Saguenay. Nous avions donc presque raison, ma sœur et moi, de nous prendre pour des héros.

Avant de quitter Rivière-Ouelle, il me faut saluer et remercier le Dr Réginald Grand'Maison, certaines informations fournies ici ont été puisées dans ses livres. Depuis plusieurs années, ce mémorialiste a publié à compte d'auteur près d'une dizaine d'ouvrages pour raconter son coin de pays. Tous ceux de cette partie de la Côte-du-Sud lui en sont, avec raison, reconnaissants. Comme quoi la rivière nourrit aussi les esprits.

SAINT-DENIS DE KAMOURASKA

La maison Chapais

C'est une résidence qui appartient à l'histoire. On y pénètre comme on changerait de siècle. Avec ses murs blancs, son toit rouge, ses larges portes et ses nombreuses ouvertures donnant sur la plaine de Kamouraska, riche terre dont les blés font la vague au vent du mois d'août, *La maison Chapais* fait rêver.

Et on devrait être tiré à quatre épingles lorsqu'on la visite tant les personnages historiques qui y ont habité, les Chapais, père et fils, étaient grands.

Jean-Charles, le père, fit construire la propriété. En 1834, le futur Père de la Confédération canadienne écrivait aux marchands Quirouet & Cie, de Québec :

> *Fief St.-Denis, le 29 août 1834,*
>
> *Je vous prie d'avoir la bonté de nous envoyer par la première occasion un baril de peinture jaune, un de rouge [...]*
>
> *Vous m'obligeriez infiniment en envoyant le plus vite possible les articles ci-dessus, car j'attends après pour commencer à peinturer ma maison.*

Ce fief Saint-Denis, autrefois de Pollet, était coincé entre la seigneurie de La Pocatière et la grande seigneurie de Saint-Denis, depuis 1656, « indépendante de ses voisins, autonome de titres, de droit et d'obligations ». Sa petite superficie, moins de 3 milles de front sur 12 milles de profondeur, faisait dire aux « gens du Bras », tel qu'on nommait les fermiers d'origine normande qui y résidaient, qu'il avait « la taille d'un enfant » et que ce n'était « qu'une lesche de terre »... En dépit des termes de la lettre adressée par Chapais à ses fournisseurs de Québec, ces lieux étaient alors connus sous le nom de La Bouteillerie.

Au moment de sa construction, la maison des Chapais avait exactement les dimensions d'aujourd'hui, et était bien assise sur un mur en pierre, élevé de la base au rez-de-chaussée, qui en constituait la fondation. Jaunes à l'origine, les lambris de bois à l'extérieur ont été repeints en gris, puis en blanc, couleur qu'ils ont gardée depuis. Solide, haute, son imposante architecture, avec ses 24 fenêtres à grands carreaux aux embrasures profondes et ses nombreuses lucarnes au comble, est véritablement celle des manoirs seigneuriaux. En 1866, parce qu'il estimait ses lignes massives, Chapais la ceinturera de deux galeries, en terrasse, flanquées de deux beaux escaliers courbés.

Ce Jean-Charles Chapais (1811-1885) était un fameux personnage. Fils de Charles Chapais, un négociant de Rivière-Ouelle, il s'intéressa d'abord à l'agriculture, à l'élevage, à la pêche, et fut l'un des principaux administrateurs de la compagnie ferroviaire du Grand Tronc. Premier maire de Saint-Denis, il en fut ensuite le premier maître de poste alors que le village prit l'appellation de Saint-Denis-de-la-Bouteillerie et que ses habitants furent affublés des surnoms de « Grands Capos » et de « Petites Bottes » à cause de leur habitude de porter, presque en toute saison, de grandes capes d'étoffe et des bottes de pêcheurs. Subséquemment, il fit carrière dans la politique à titre de député et de ministre dans le cabinet Taché-MacDonald, de conseiller exécutif et de commissaire aux Travaux publics. Ces mandats prirent fin avec l'avènement de la Confédération dont il est considéré comme l'un des Pères.

Bon sang ne sachant mentir, l'un de ses fils, Thomas Chapais (1858-1946), fut à son tour parlementaire, celui à demeurer le plus longtemps en fonction depuis la Confédération, soit de 1892 à 1946. Il fut également avocat, journaliste et, surtout, historien, historien qui s'illustra tout particulièrement en affirmant que la Conquête de 1760 devait être considérée non pas comme une catastrophe nationale, mais comme le début de l'émancipation politique des Canadiens français... En dépit d'un tel discours, il demeura fort prisé et ça ne l'empêcha pas de devenir président de la Société Saint-Jean-Baptiste de Québec et, en contraste, de recevoir le titre de Knight Bachelor des mains du roi George V... Ses funérailles furent célébrées par Mgr Maurice Roy, archevêque de Québec, un de ses voisins à Saint-Denis pendant la saison estivale, et l'un des porteurs de son cercueil fut nul autre que Maurice Duplessis!

Pour avoir été dans des détours importants de l'histoire, la maison Chapais mérite aujourd'hui tous les détours des amateurs du passé.

SAINT-HILARION

Saint-Hilarion, le pays d'Olivar Asselin

Lorsque, en ce lundi matin privilégié, où le beau temps était enfin revenu, j'ai aperçu une église haut perchée au-dessus d'un essaim de maisons déclinant tout autour, c'est à Turenne, qui se dresse ainsi sur une colline, que j'ai aussitôt pensé. Mais le village médiéval de Corrèze, aussi beau soit-il, n'est pas niché dans un tel cirque de montagnes. De plus, rien de ma vie n'y est relié.

Alors que Saint-Hilarion…

Je dois au fils le plus éminent de cette municipalité de Charlevoix d'écrire aujourd'hui, ce à quoi j'aurais dû réfléchir aussitôt que j'ai aperçu l'écriteau l'annonçant sur la 138. Cela remonte à ma défunte mère (adoptive), et c'est une histoire que j'ai vécue avant de me rendre compte qu'elle m'avait mis la main à la plume, comme on dit le pied à l'étrier.

Ma mère n'écrivait pas, mais elle lisait de manière compulsive, en tout temps et de tout. Quoique nous ne fussions pas riches – nous étions presque pauvres en fait – et que l'achat de livres ait été un luxe au-dessus de nos moyens, il s'en trouvait des caisses à la maison, rangés dans une soupente. Ces livres constituaient le seul héritage dont ait jamais été gratifiée ma mère, la petite-nièce d'Olivar Asselin.

En effet, le grand journaliste (1874-1937), pamphlétaire et militant nationaliste avant l'heure, étroit collaborateur d'Henri Bourassa et cofondateur du quotidien *Le Devoir*, promoteur féroce de l'instruction publique et obligatoire, secrétaire du ministère de la Colonisation et décoré de la Légion d'honneur par la France en 1919, lui avait fait don à sa mort d'une partie de sa bibliothèque. Il connaissait la passion de Gilberte pour la lecture et s'assurait ainsi que ses livres n'allaient pas mourir, oubliés quelque part dans la poussière.

C'est à cette mine précieuse que j'ai puisé les premiers livres qui me donnèrent le goût des écrivains et l'envie de le devenir. Pendant des années, j'ai lu tout ce que ma main, en tâtonnant dans le noir du réduit non éclairé, ramenait à la lumière. Ainsi, même avant d'avoir accès à quelque bibliothèque publique ou scolaire, j'avais dévoré mon lot de classiques, de romans-fleuves, d'écrits contemporains et, même, de traductions américaines.

Comment devient-on un journaliste, aujourd'hui légendaire, lorsque l'on est né au cœur de l'arrière-pays du comté de Charlevoix, à 500 mètres d'altitude, lieu de terres difficiles et ingrates, d'hivers hâtifs et rigoureux, loin de la ville, là où les journaux se rendaient à peine ? Sans doute de la même manière qu'on devient écrivain lorsqu'on a grandi à Trois-Saumons, un hameau d'une douzaine de maisons, avec pour culture exclusive celle des champs, c'est-à-dire par la force du destin.

À Saint-Hilarion ce matin-là, j'ai aussi appris qu'Olivar Asselin était venu au monde en novembre, comme moi. Alors, j'ai voulu m'en approcher, autant que faire se peut. J'ai pris contact avec le village, je l'ai parcouru, je suis monté à l'église pour goûter les perspectives qui l'ont sans doute enthousiasmé, celles de la campagne environnante : des paysages se succédant par buttes, pitons, massifs et montagnes, mais aussi par des plateaux où tout devient égal, dégagé, dessouché et verdoyant. Une nature exigeante qui témoigne du labeur courageux des premiers défricheurs qui s'y mirent à la tâche dès 1830. Ils étaient venus des Éboulements, à 10 kilomètres au sud et, s 'ils baptisèrent l'endroit Saint-Hilarion, c'est que, justement, il s'agissait du plus austère des moines connus alors, qui avait vaincu les obstacles du désert de la Palestine pour y vivre.

On l'oublie, ou on l'ignore, mais la région de Charlebois est régulièrement victime de tremblements de terre – jusqu'à une secousse aux deux jours –, mais de si faible intensité qu'ils sont rarement ressentis. Tout de même, au cours de son histoire, Saint-Hilarion en a connu d'assez importants, notamment en 1530,1663, 1791,1876, 1924, 1925 et, le dernier, en 1988 (5,9 sur l'échelle de Richter).

Si, en Corrèze, Turenne représente la force armée des chevaliers s'unissant pour repousser l'ennemi, Saint-Hilarion constitue sans doute un des symboles les plus flagrants de l'héroïsme de nos ancêtres dans un coin de pays qu'il leur a fallu vaincre à bout de bras, dans le labeur et sans pusillanimité.

Beaupré

Vous avez dit... Beaupré ?

L'histoire des origines de l'appellation d'un lieu est parfois une drôle d'histoire. Il en va ainsi de la ville de Beaupré.

En 1928, l'agglomération sise entre mer et montagnes fut d'abord baptisée Notre-Dame-du-Rosaire. Après coup, on se rendit bien compte qu'il existait déjà au Québec une pléthore de paroisses portant ce nom. Il fallut donc refaire l'exercice. Sérieusement pourrait-on croire ? Pas si sûr, en y pensant bien.

En effet, alors que la région était déjà célèbre à cause de Sainte-Anne-de-Beaupré, que le littoral du fleuve était archiconnu sous la dénomination de Côte-de-Beaupré, on la rebaptisa… Beaupré. Et cela, rapporte-t-on, dans un souci d'éviter toute confusion…

Ce nom de Beaupré serait le composé de « beaux prés », attribué aux belles prairies découvertes par les marins bretons qui, au XVIe siècle, avaient débarqué sur la côte à cette hauteur.

Plus tard, beaucoup plus tard, soit en 1943, un groupe d'amis, habitant la Côte-de-Beaupré, qui reluquaient depuis un bon moment au-delà les champs de pâturage, décidèrent d'escalader le mont Sainte-Anne jusqu'à son sommet avec l'idée de le dévaler ensuite en ski. L'expérience, quelque peu aventureuse, leur fit conclure que ce massif offrait de fabuleuses possibilités aux amateurs d'un sport d'hiver dont la popularité allait grandissant.

Fondateurs, l'année suivante, de la « Société pour la promotion du ski alpin dans la région de Québec », ils aménagèrent aussitôt une piste. Une souscription publique permit bientôt d'établir un premier centre de ski, qui se vit confier dès 1947 – et de nouveau en 1954 – l'organisation des championnats canadiens de cette discipline sportive.

En 1962, la ville de Beaupré prit en charge toute la montagne et demanda, à un comité restreint composé de cinq bénévoles, des suggestions pour son aménagement. Le groupe de travail recommanda la création d'un parc récréatif et, l'année suivante, la municipalité mit sur pied une commission chargée « d'organiser, de posséder, de développer et d'administrer le mont Sainte-Anne ».

Il en résulta une fréquentation accrue, mais pas suffisante pour que soit rentable l'exploitation simultanée de six pistes, d'un stationnement de 2000 places et d'un chalet fort confortable au pied des pentes. Ce bilan négatif s'alourdit encore quand le chalet fut complètement rasé par un incendie en 1967.

Pour empêcher que la clé soit mise dans la porte, le gouvernement provincial intervint. Il prit la relève et confia l'administration et la gérance de la station au ministère du Tourisme, de la Chasse et de la Pêche. La nouvelle direction ne parvint quand même pas à atteindre le seuil de rentabilité, de sorte qu'en 1985, une autre structure administrative, la SÉPAQ, créée pour gérer les établissements de plein air au Québec, se vit confier tous les actifs de la station. En moins de deux ans, cet organisme y investit plus de 18 millions de dollars pour de nouveaux aménagements, dont 11 nouvelles pistes, et des équipements, parmi lesquels 3 sièges quadruples.

L'achalandage s'intensifia, mais pas suffisamment encore pour couvrir les coûts d'exploitation. Aussi, dans la mouvance des privatisations qui soufflait alors, le gouvernement décida de se départir du Mont-Saint-Anne, qui passa aux mains d'intérêts privés. C'est ainsi qu'en 1994, la station fut vendue au consortium formé de Club Resorts et de la famille Désourdy pour la somme de 12,3 millions de dollars.

Aujourd'hui, ce centre a définitivement pris son essor et est devenu l'un des plus prestigieux de l'est de l'Amérique du Nord. Il se classe même parmi les dix meilleures destinations du monde pour les vacances hivernales.

Et vous aurez compris que le mont Sainte-Anne n'est pas situé à Sainte-Anne (de Beaupré) et qu'il ne faut pas confondre la ville de Beaupré avec la Côte (de Beaupré). C'est tout simple : il suffit de ne pas se tromper de… Beaupré.

SAINTE-ANNE-DE-LA-POCATIÈRE

Décor et maisons d'enseignement s'harmonisent

Lorsqu'on revient sur l'époque des vieux jours, on soulève parfois des souvenirs si précis qu'on s'étonne de l'efficacité de notre mémoire. Cependant, on ne parvient pas toujours à mettre une date, ne serait-ce même une année, sur les images qui remontent ainsi à la surface. Tout au plus, on les identifie à une période de notre vie.

En regardant la photo du collège de Sainte-Anne-de-la-Pocatière (ancien collège classique maintenant devenu école secondaire privée), je me suis rappelé, presque inconsciemment, un certain dimanche ensoleillé de juillet, en compagnie de mon père, dans sa vieille Willis. Nous étions presque arrivés à Sainte-Anne lorsque la radio nous avait appris qu'un incendie important y faisait rage. Une scène du sinistre s'impose encore clairement à mon esprit : la fumée épaisse, presque noire, qui monte au-dessus de la toiture de la noble institution.

Ces jours derniers, un ami, M. Grand'Maison, m'a offert de consulter les archives du collège pour chercher trace de cet événement. Il a trouvé. Et le plus étonnant pour moi fut d'apprendre qu'il s'était produit le 24 juillet 1949 (année de l'adhésion de Terre-Neuve dans la Confédération) : je n'avais donc que cinq ans…

Déclaré au petit matin, le feu avait complètement ravagé la boulangerie du collège et le jeu de balle au mur dressé tout près, dans la cour.

Le nuage épais que j'avais aperçu au-dessus de la toiture en compagnie de mon père n'émanait donc pas de l'établissement d'enseignement faisant la fierté de la région. Heureusement ! Il n'empêche – et on le comprendra – que, tout le temps que les flammes avaient sévi, les pompiers, rameutés de par tout le comté, avaient craint l'éventualité cauchemardesque de les voir s'en prendre au collège.

Garé devant la cathédrale, lors de ma dernière incursion à Sainte-Anne en janvier dernier, je me suis attardé à observer des étudiants qui se dirigeaient vers le cégep de La Pocatière, établissement moderne qui jouxte la grande école en pierre. Leur haleine chaude au contact du froid vif se transformait en panaches de fumée leur couvrant aussitôt le visage. Ce qui aurait pu, alors, me ramener à l'incendie de la boulangerie, d'autant que j'étais à admirer – car il est admirable – le vieux collège d'allure actuelle tant il est bien conservé. Mais mon état d'âme du moment était loin des réminiscences tragiques : je venais de quitter la librairie l'Option et ma rencontre avec la libraire, Mme Yvonne Tremblay, à la bonne humeur aussi proverbiale que sa compétence professionnelle, m'avait mis dans une disposition radieuse.

Il faut dire que, considérée de cet endroit, la perspective du collège et de l'Institut de technologie agroalimentaire (autrefois appelé l'École d'agriculture) a quelque chose d'aussi impressionnant qu'apaisant tant les deux bâtiments s'harmonisent avec le décor ambiant. L'impression de force et de pérennité qui s'en dégage rivalise avec le sentiment qui nous saisit lorsque nous contemplons les prestigieux édifices du pouvoir dans une grande capitale.

Le collège fut fondé en 1827 par celui que l'on considère comme le père de Sainte-Anne-de-la-Pocatière, le curé Charles-François Painchaud. Ce dernier était débarqué dans la paroisse (jamais l'expression ne fut plus justement utilisée) de sa chaloupe, la *Mille-Clous*, qu'il avait construite lui-même. Il arrivait de la baie des Chaleurs, où il était missionnaire jusqu'alors. Aussitôt (c'était en 1814), il avait dénoncé le fait que « l'instruction n'en menait pas large » à Sainte-Anne et semé l'idée d'un collège classique.

Quant à l'École d'agriculture, devenue à présent l'Institut agroalimentaire, elle fut créée par l'abbé François Pilote. À son inauguration, le 10 octobre en 1859, elle ne comptait que trois étudiants...

Première école de ce genre au Canada, c'était l'aboutissement d'une démarche patriotique, ce que confirme sa devise : « Le sol, c'est la patrie : améliorer l'un c'est servir l'autre. » En 1940, élevée au rang de faculté d'agriculture, elle fut affiliée à l'Université Laval. Quand cette dernière fut transférée sur le campus de Sainte-Foy, 22 ans plus tard, les locaux de l'École accueillirent un institut de technologie agricole et alimentaire, d'où sa nouvelle appellation.

Beaumont
Jour de l'An et de souvenir

En 2004, c'est à Beaumont, dans l'une de ses belles maisons ancestrales, celle de la famille Guay, qu'a germé le projet d'une tournée d'écrivain en Afrique. C'était le week-end de Pâques, et pas plus tard qu'en décembre suivant, je me retrouvais au Gabon, dans la chaleur opaque de Libreville.

Avant d'être ainsi le point de départ d'une aventure exaltante au cœur du continent africain, le village de Beaumont, dont le patrimoine résidentiel et agricole est abondant et bien conservé, m'était déjà un lieu de prédilection : à chacune de mes incursions dans le Bas-du-Fleuve, j'y roulais tout doucement pour goûter à satiété son pittoresque. Je lui trouvais des allures semblables à celles des villages de l'île d'Orléans. En cela, je n'avais pas tort : au début de son histoire, Beaumont y était bien davantage rattaché qu'à la Côte-de-Bellechasse. C'est qu'à l'époque, peuplé de quelques familles (la population n'y excéda pas 30 habitants de tout le Régime français), l'endroit était complètement isolé des autres hameaux de la côte. Comme il n'y avait encore que très peu de chevaux en Nouvelle-France (nous sommes au début du XVIIIe siècle) et qu'on se déplaçait presque exclusivement en canot, le plus simple était de traverser à l'île pour la messe dominicale et de s'y pourvoir de plusieurs des ressources nécessaires à la vie courante. Cette fréquentation des insulaires a considérablement influencé les gens de Beaumont, notamment dans le style que ceux-ci ont adopté pour leur habitation.

Plus tard, hélas ! c'est aussi de l'île d'Orléans que vint l'adversité. En juin 1759, le général Wolfe installait ses quartiers généraux dans l'église du village de Saint-Laurent et ordonnait au brigadier général, Robert Monckton, de se mettre à la tête de 350 hommes et d'effectuer aussitôt un débarquement sur la rive sud.

Le 26 du même mois, cette troupe envahissait donc le village de Beaumont. Au bilan de cette expédition, trois victimes, de simples résidants que les Britanniques ont sauvagement scalpés avant de les tuer, et une maison incendiée, dont les occupants, quelques femmes et des enfants, s'étaient heureusement réfugiés à la cave. Ensuite, c'est en vain qu'à plusieurs reprises ils tentèrent de mettre le feu à l'église, échec que la rumeur eut tôt fait de transformer en légende, voire en miracle. En partant, ils placardèrent la porte du temple d'une proclamation ordonnant aux habitants de se barricader chez eux faute de quoi tous leurs biens seraient détruits.

À la sortie du village, en direction est, se dresse aujourd'hui une maison en pierre datant du XIXe siècle, parfait spécimen de ce qu'il est convenu d'appeler « la maison québécoise ». Son propriétaire, le diplomate Louis Guay, en a religieusement respecté l'état d'origine. Je me souviens combien, ayant répondu à son invitation, j'y ai coulé des moments délicieux, visitant de fond en comble cette propriété, sobre et de matériaux nobles, et partageant en famille, avec son épouse et ses cinq enfants, l'agneau pascal qu'il avait préparé. Nommé peu après chef de la diplomatie canadienne au Gabon, ce descendant d'une grande famille de Beaumont m'ouvrait cette fois les portes de la résidence d'ambassade à Libreville.

Cet homme est un personnage. Quelque chose dans son allure, fière et solide, un mélange de belles manières, d'éloquence et d'autorité feutrée, fait en sorte qu'on ne peut le confondre avec quelqu'un d'autre. Il sait à la fois parler de choses simples, importantes au demeurant – son enfance, sa famille, l'attachement à son pays – et de choses complexes, telles les relations internationales.

Au Gabon, je peux témoigner l'avoir vu se dévouer pour l'Afrique bien au-delà du cadre inhérent à ses fonctions d'ambassadeur : il aime ce continent de toutes ses fibres et souhaite passionnément qu'il émerge un jour de son marasme chronique.

En décembre 2008, j'ai appris par les médias qu'il avait disparu en compagnie d'un confrère au Niger. La nouvelle a fait la manchette pendant quelques jours, puis plus rien. Durant les mois qui ont suivi, on en parla peu, on n'en parla presque plus à vrai dire, mais ses proches comme ses amis n'ont pas cessé de s'inquiéter au plus haut point de son sort. Fort heureusement, le 22 avril 2009, la faction d'Al-Qaïda responsable de l'enlèvement a libéré les deux hommes et il est rentré chez lui auprès des siens.

Alors qu'à Noël on célèbre avant tout la paix et la joie, le jour de l'An est devenu un jour de souvenir. Chaque année, il s'impose comme l'occasion de regarder par-dessus son épaule l'année écoulée. On se rappelle le mieux, et on se rappelle le pire. Souvent, le cœur reste en suspens au-dessus du vide creusé par le départ d'un ami. Le premier de l'An 2009, j'ai souhaité que Louis nous revienne, qu'il oublie un peu l'Afrique et qu'il admette qu'il lui a assez donné. Qu'il aille plutôt aux beaux jours d'été couler des jours paisibles dans la belle maison de ses aïeux à Beaumont.

Les Éboulements et Saint-Joseph-de-la-Rive

Tremblement de terre dans Charlevoix

Cette journée-là du 3 février 1663, il avait traîné dans l'air quelque chose d'insidieux, au point où l'inquiétude avait gagné le petit nombre de colons établis dans ces deux hameaux aujourd'hui devenus Les Éboulements et Saint-Joseph-de-la-Rive. Une sorte de stagnation bizarre et un silence tout aussi étrange, sous une chape de brume pesant sur le fleuve, la grève, la montagne… Bien plus, des oiseaux noirs n'avaient cessé de virevolter au-dessus de ce paysage troublant sans se résoudre à se poser.

Vers les cinq heures et demie de l'après-midi, la terre avait ondulé, puis s'était littéralement soulevée. Tout avait commencé par un grand vent d'orage chargé d'une forte odeur de pluie. Ensuite, un grondement sourd avait gonflé sous le sol et agité les cloches de la chapelle.

Croyant qu'ils avaient affaire à un incendie de forêt, les colons s'étaient précipités à l'extérieur de leur maison. Instinctivement, ils avaient tourné leur regard vers le faîte des arbres pour y distinguer les flammes en ravage, mais ils n'avaient rien vu. Alors, le bruit ahurissant qui couvait sous leurs pieds s'était amplifié et les avait effrayés jusqu'à la moelle. Et lorsqu'ils avaient senti que la terre venait à la rencontre de leurs pas, ils avaient cru que la fin du monde était arrivée, qu'ils allaient périr tour à tour.

Autour d'eux, tout s'était agité : les portes et les volets des maisons battaient, s'ouvraient, puis se refermaient d'eux-mêmes et à l'intérieur, les pauvres meubles étaient renversés par la fureur invisible qui les déplaçait sans ménagement. Dans un chaos d'enfer, les pierres des cheminées se détachaient, les murs se disloquaient. Autour des habitations, la nature elle-même s'affolait : du paysage admirable, il ne resta bientôt qu'un amas désordonné de roches fragmentées, de souches retournées, racines en l'air, et d'arbres fendus sur toute leur longueur.

Au milieu des débris qui pleuvaient, figés de terreur, plusieurs enfants pleuraient. Les hommes, croyant toujours à l'incendie, couraient de tous côtés, cherchant tantôt l'eau, tantôt le feu, et quand ils s'arrêtaient enfin, hébétés, ils regardaient ceux qui, les bras en croix et à genou dans la neige, criaient miséricorde. Souvent l'un d'entre eux était renversé par la course folle de quelque animal en fuite. D'autres, se croyant déjà morts, gisaient dans une demi-inconscience.

La première secousse dura une bonne demi-heure, sans pour autant faire de morts ou de blessés graves.

On rendait encore grâce à Dieu pour s'en être tiré à si bon compte quand, trois heures plus tard, une nouvelle secousse, plus forte, ébranla les lieux. Durant la nuit qui suivit, il y en eut 32 autres, dont la pire, vers les 3 heures du matin, avec des grêles de pierres, des tourbillons de pluie épaisse. C'était comme si la terre valsait, par longues vagues, avant de se déchirer, laissant des abîmes, des crevasses. Sur le fleuve, les glaces se renversaient en libérant une eau fumante envahissant la grève.

Enfin, les éléments s'apaisèrent et les colons, aussi passionnés de survie que résolument entêtés dans leurs ambitions sédentaires, remirent progressivement tout en état. Le temps passant, ils oublièrent volontairement les sursauts de la terre pour ne pas embarrasser leurs souvenirs de catastrophes.

À présent, les balafres que le tremblement de terre de 1663 aurait pu laisser ne sont plus que variations harmonisées dans un des plus beaux paysages du Québec. Il demeure cependant une longue faille, dite faille Logan, qui longe le fleuve à cet endroit et provoque encore des secousses sismiques – une centaine par année, selon le géographe Henri Dorion –, mais de si faible intensité qu'elles passent inaperçues.

Aussi, c'est dans une sérénité « sans faille » qu'à la hauteur des Éboulements et de Saint-Joseph-de-la-Rive, on peut jouir de la beauté de Charlevoix.

Bras-d'Apic

L'université de Bras-d'Apic

Pour peu qu'on y réfléchisse, bien des expressions courantes ont un sens pour le moins douteux. Ainsi, on dit « boire un verre » alors qu'en réalité, on ne boit que son contenu. Pour éviter l'usage d'une semblable métonymie (c'est le mot savant qui définit cette distorsion du langage où l'on désigne, comme ici, un contenant par son contenu), il faudrait résoudre l'équation impossible de donner au verre les qualités de ce qu'il contient, à savoir liquidité et saveur.

Impossible, dis-je ?

À voir : il existe à Saint-Robert-de-Bras-d'Apic (un hameau situé dans la MRC de L'Islet, le long de la route 285, entre les villages de Saint-Cyrille-de-Lessard et de Saint-Marcel) un joli bâtiment, une école-chapelle, qui fut, et demeure, l'instrument qui donna un sens à une expression, autrement simple figure de style.

C'est une expression comme il en jaillit de certaines situations que l'on souhaite dénoncer ou dont on veut rire. Celle-ci serait née autour de 1960 du fait que la grande région de la Côte-du-Sud ne possédait aucun établissement universitaire, alors que ses habitants détenaient, pour les avoir acquises « sur le tas » d'une génération à l'autre, toutes les compétences nécessaires aux travaux de la ferme et de la forêt. Pour se valoriser devant ceux qui prétendaient leur inculquer les savants rudiments appris aux instituts de haut savoir, ou pour s'en moquer, ils leur rétorquaient qu'ils avaient étudié à « l'Université de Bras-d'Apic ».

Avec le temps, l'expression se répandit et devint un lieu commun dans tout le Bas-Saint-Laurent.

C'est un grand personnage, justement originaire de Saint-Cyrille-de-Lessard, le sculpteur et caricaturiste de renom, Raoul Hunter – pendant 33 ans (de 1956 à 1989), il a illustré les pages éditoriales du *Soleil* –, qui décida qu'on ne mentionnerait plus ainsi l'Université de Bras-d'Apic pour ne rien dire : il fonda l'institution.

Bien sûr, il n'en fit qu'une université « nominale », c'est-à-dire qui n'existe que de nom. Il n'empêche que l'expression a ainsi été transformée en trait de bon sens, lequel, s'il porte à sourire, étonne bien davantage puisqu'il appartient au patrimoine historique d'une des plus belles régions du Québec.

Ce campus universitaire existe vraiment. Exclusivement constitué de l'École-chapelle-Saint-Robert-de-Bras-d'Apic, construite en 1917, un des derniers bâtiments de ce genre inspiré de ceux du temps de la colonisation, il a été classé monument historique en 1982. Sa renommée fut grande, car l'initiative de Raoul Hunter donna lieu à la production d'une série de produits dérivés (t-shirts, chandails, casquettes, drapeaux et fanions) portant l'inscription « Université de Bras-d'Apic » et un logo représentant la chapelle. Vendus, entre autres, au « Dépanneur de l'Université » situé en face du campus jusqu'en 2005 (alors qu'il dut fermer boutique), ces gadgets se sont peu à peu retrouvés aux quatre coins du pays et sont aujourd'hui objets de collection.

Sur une pierre tout près de la chapelle, on peut lire « Campus des heureux » et, si ce qui est en train de devenir une légende continue de faire sourire, il n'en demeure pas moins que l'existence de l'Université nominale de Bras-d'Apic est bien réelle. Même que, dans son étude sociologique et démographique intitulée *Désintégration des régions. Le sous-développement durable au Québec* (1991, Éditions JCL), le très sérieux sociologue Charles Côté la mentionne aux côtés de la bien réelle Université du Québec à Chicoutimi (Saguenay)...

Comme quoi il est parfois des expressions qui dictent l'histoire.

SAINT-JEAN-PORT-JOLI (BIS)

La vraie nature d'un seigneur

Je me rappelle mal l'âge que j'avais, mais ce devait être entre quatre et six ans. C'était un matin de froid qui mord, et le soleil, un soleil blanc au milieu de l'hiver, jetait une lumière blafarde sur les champs plats allant de la route rurale aux battures du fleuve. Plusieurs fois, avec mon père, j'étais passé par là, à l'aller ou au retour de Saint-Jean-Port-Joli, mon regard s'arrêtant à peine sur un panneau que je croyais de bois, puis glissant sur une toute petite construction que je prenais pour un cabanon.

Aussi, lorsque mon père – qui n'aimait pas perdre son temps en chemin quand il se déplaçait dans sa vieille Willis, à plus forte raison quand le mercure était loin sous le point congélation – s'arrêta à cet endroit précisément, cela me sembla un moment d'importance. Il descendit de voiture, se planta devant cette plaine monotone qui s'étendait devant lui et me fit venir à ses côtés.

– C'est ici qu'habitait le seigneur Philippe Aubert de Gaspé…

Et même s'il savait que ne je ne doutais pas de ses paroles, il entreprit de me prouver qu'il disait vrai. Me prenant par la main, sur la neige gelée, il m'entraîna devant le tableau de bronze dont il me lut à voix haute l'inscription en suivant les lettres d'un doigt. J'en ai oublié, bien sûr, le texte exact, mais je sais qu'il était question d'un manoir ayant brûlé le 1er mai 1909 et d'un seigneur y ayant habité avec sa famille. Puis il me montra, de près aussi, ce que j'avais pris pour un petit appentis et m'informa qu'il s'agissait d'un four à pain, celui du personnage important dont il allait maintenant me parler.

En route vers Trois-Saumons, un bourg, même pas un petit village, exactement situé entre les rivières Tortue et Trois-Saumons où nous habitions, il me parla donc de ce noble, c'est ainsi qu'il l'avait qualifié, décédé en 1871, moins de 40 ans avant sa naissance et que ses parents avaient connu.

Je bus ses paroles et partageai avec lui toute l'admiration du monde pour cet homme qui était, en somme, le grand personnage de sa région. Mon père mit particulièrement l'accent sur le fait que, tout seigneur qu'il était, de Gaspé écrivait et que son roman, *Les Anciens Canadiens,* avait eu une renommée au-delà du comté, de la province et même du pays.

Je ne connaissais pas, alors, le plaisir de lire, et la lecture n'avait donc pas encore modelé mon sens critique. Beaucoup plus tard, à Québec, je me suis procuré le roman de cet auteur, à réputation de héros là d'où je viens, et il m'est vite apparu que mon père en avait une vision sommaire, qu'il confondait les réalités romanesque et factuelle.

Philippe Aubert de Gaspé n'était pas tout à fait, peu s'en faut, un des héros de son livre. C'était un homme de son temps aux qualités certaines, avocat, homme d'affaires, puis shérif de la ville de Québec, mais de dimension ordinaire. Il a eu son lot de revers, dont l'un le mena en prison (en 1838) pendant un peu plus de trois ans. Certains affirment que sa réclusion en était une pour dettes, mais il se serait plus précisément agi d'une faute professionnelle ayant mis à découvert le budget du bureau dont il était l'administrateur. Il aurait voulu combler la perte mais, ne disposant pas des fonds nécessaires, il faillit dans son recours pour se prévaloir de la loi relative aux débiteurs insolvables (qui existait déjà !).

Cet événement ne lui est pas attribué dans son roman, pas plus qu'il n'en souffle un mot dans ses *Mémoires*. Personnellement, et lors d'une de ces circonstances qui étonnent parfois par leur à-propos, j'ai appris cet épisode malheureux de la vie du seigneur-écrivain en musardant à la bibliothèque de la *Literature and Historical Society*, sise au 44 de la Chaussée des Écossais, dans l'édifice Morrin, qui fut la première prison construite à Québec, et où Philippe Aubert de Gaspé purgea sa peine…

Montmagny
Le carrefour mondial de l'accordéon

C'était l'année de l'entrée en vigueur de l'assurance-hospitalisation, de la mise en ondes de Télé-Métropole (le « canal 10 ») et de la création de l'Office de la langue française (aujourd'hui l'Office québécois de la langue française).

Nous étions en 1961, j'allais terminer ma onzième année, et tout ce que je désirais, c'était de devenir écrivain, comme d'autres de « faire » la Ligue nationale de hockey ou de devenir vedettes. Et voilà que les événements se précipitèrent, mes premiers textes furent accueillis par *Le courrier de Montmagny,* qui appartenait alors aux Éditions Marquis. Sous le titre de *L'homme nouveau,* mes chroniques me servaient en fait de prétexte pour écrire sur tout et sur rien.

Dimanche dernier, en rentrant de Trois-Saumons où j'avais fait un détour pour revoir le pays de mon enfance, je me suis arrêté à l'intersection du boulevard Taché et de l'avenue du Bassin à Montmagny, devant l'édifice de mon premier éditeur. C'est toujours ainsi : j'aime me recueillir sur les lieux de mon passé.

Quand mon regard a été rassasié du vaste immeuble blanc n'accusant en rien son âge, je me suis tourné vers le manoir Couillard-Dupuis sis sur la rive droite de la Rivière-du-Sud. D'abord, j'ai constaté avec bonheur qu'il avait conservé ses tons clairs, d'un beige singulier toujours très beau. Après m'être approché de la noble résidence, j'ai aperçu un panneau l'identifiant comme le Musée de l'accordéon. En le lisant attentivement j'ai appris qu'on soulignait cette année-là le 20e anniversaire du Carrefour mondial de l'accordéon. Ma curiosité aiguisée, j'ai voulu comprendre pourquoi on célébrait cet instrument dans cette municipalité de la Côte-du-Sud, à moins d'une heure de Québec.

On m'a expliqué qu'il a été inventé en 1829 par le Viennois Cyril Demian, qu'il était en quelque sorte débarqué à Montmagny par chemins détournés, depuis la Grosse-Île. Située en face, au milieu du fleuve, cette dernière servait déjà depuis 1832 de station de quarantaine pour les nombreux Irlandais voulant émigrer au Canada et qui, pour ce faire, devaient passer par ce qu'on appelait alors le Bas-Canada (la province de Québec), porte d'entrée incontournable du pays à l'époque. De ces 30 000 Irlandais fuyant annuellement la famine, bon nombre étaient porteurs du choléra ou du typhus. Aussi, les autorités canadiennes avaient-elles dû mettre en place cette halte de sécurité où ils devaient obligatoirement séjourner, le temps qu'on certifie leur bon état de santé.

Or, de nombreux arrivants moururent pendant la période d'isolement et plusieurs de leurs enfants, ainsi devenus orphelins, furent adoptés par des résidants de Montmagny. De fil en aiguille, ils introduisirent dans leur famille d'accueil une culture musicale particulière scandée par le rythme de l'accordéon.

Au cours des ans, l'instrument gagna vite chez nos gens une très grande popularité et un nommé Marcel Messervier ouvrit la première fabrique d'accordéons diatoniques (dont la même touche émet deux sons différents selon que l'on plie ou déplie l'instrument). Cette entreprise, encore prospère, exporte sa production dans le monde entier. Le prix de cet instrument étant, de plus, fort abordable pour la population d'une petite ville industrielle, le nombre des adeptes alla toujours croissant. À tel point qu'une deuxième fabrique vit le jour, à l'initiative cette fois de Raynald Ouellet, lequel, accordéoniste de réputation internationale, créa le Carrefour mondial de l'accordéon.

L'événement, qui a lieu chaque année à la fin du mois d'août, est placé sous le régime des échanges culturels. Il permet donc aux participants de faire connaissance avec des musiciens de divers pays (Argentine, Bulgarie, Jordanie, Norvège, Espagne, notamment), dont la musique va du classique au tango, en passant par le jazz, le musette et le folklore. Pas étonnant qu'on y accueille annuellement plus de 45 000 personnes, à qui on offre concerts, soirées dansantes, animation dans les rues, ainsi que plusieurs spectacles extérieurs et, même, des conférences.

Québec
Du vrai monde

J'ai eu la chance de connaître personnellement deux immenses écrivains. Si l'un était Belge et l'autre, Québécois, ils avaient en commun l'usage courant d'une expression que j'aime tout autant que les gens qu'elle désigne : *le monde ordinaire.*

Le premier, Georges Simenon, créateur, entre autres, du commissaire Maigret, m'a répété à maintes reprises son attachement pour le quartier de son enfance, celui d'Outre-Meuse à Liège, avec des mots comme « restaurants démocratiques », établissements qu'il préférait entre tous. Lorsque j'ai eu un jour l'occasion d'arpenter la rue Léopold, où il est né, puis de fréquenter les restaurants populaires de son quartier, j'ai compris qu'il s'agissait de lieux où la convivialité accordait les clients, où chacun avait la nette impression d'être un peu chez soi, et où il était de bon ton d'être *à son naturel.*

Lorsque je me promène dans le quartier Saint-Sauveur à Québec, je retrouve exactement cette ambiance, à la fois bigarrée et chaleureuse. La rue Saint-Joseph Est et la rue Saint-Vallier Ouest qu'elle rencontre suffisent à me faire du bien, à me donner le goût de la vie paisible qui y bat, grouillante certes, mais sans excès, et bon enfant à bien des égards – empreinte surtout de ce caractère particulièrement sympathique qui m'y fait passer chaque fois de bons moments.

D'abord, je prends en apéritif une bière à la taverne Jos Dion qui occupe le coin de rue et dont l'ouverture remonte à 1933. C'est la plus vieille taverne de Québec et l'une des plus anciennes de toute l'Amérique du Nord. Les générations s'y mêlent allégrement et on y discute à qui mieux mieux de politique, de sport, du maire de la ville et… de l'avenir de notre planète. On a l'impression d'être un habitué même lorsqu'on y met les pieds pour la première fois.

Je traverse ensuite Chez Jeannine. Voilà un restaurant qu'aurait chéri Simenon ! Son décor aux allures familières, son atmosphère qui respire la bonne entente et le contact humain, ses plats maison qui rappellent la cuisine de nos mères par leur côté fait main et le ton amical du service, sont autant d'atouts qui le caractérisent. Jeannine, c'était Jeannine Turcotte, décédée peu de temps après avoir vendu son fond de commerce au père de l'actuel propriétaire, Peter Durocher, que je me plais à observer dans sa cuisine à aires ouvertes lorsqu'il prépare ma « commande ». Ma gourmandise succombant chaque fois au pouding chômeur de France, son assistante aux fourneaux, je dois m'imposer une marche de santé quand je quitte la table.

Alors que je pénètre plus avant dans le quartier, je ne peux que penser à Roger Lemelin, cet autre écrivain que j'ai eu le plaisir de rencontrer et qui en est originaire. Je n'adopte pas les amples foulées d'Ovide Plouffe qu'admirait tant la belle Rita Toulouse, mais un pas de touriste pour butiner à loisir les vitrines des petits commerces : boulangerie, teinturerie, magasin de tissu à la pièce, dépanneurs, boutiques en tous genres, librairie de livres usagés et même un hôtel, l'Hôtel du Nord, dont le nom rappelle le roman célèbre d'Eugène Dabit, adapté au cinéma par Marcel Carné. Beaucoup de restaurants (vietnamiens, japonais, africains…) y témoignent de la diversité culturelle du faubourg, mais la ville y a gardé le pittoresque de ses traits distinctifs : à Saint-Sauveur, on est vraiment à Québec, pas ailleurs.

Lorsque j'atteins la rue de Montmagny, apercevant de belles galeries aux façades, il me revient une des scènes du fameux roman de l'écrivain né au pied de la Pente Douce : Théophile Plouffe fume sa pipe aux côtés de sa femme, Joséphine ; Denis Boucher, journaliste signant à *L'Action catholique* et, sous un pseudonyme, au *Nationaliste*, arrive et lance, en ce bel après-midi où le cortège royal de Georges Vl va défiler devant la maison: « Votre galerie vaut cher aujourd'hui, madame Plouffe ! »

DESCHAMBAULT
Un détour dans le temps

Tout était parfait. Je roulais sans presse sur le chemin du Roy, enserré d'une campagne riche en pâturages, en bosquets touffus, en pousses sauvages et en maisons proprettes. Lustré d'une eau couleur de ciel bleu, le fleuve coulait presque sans un frémissement. L'air goûtait l'été et les vacances.

Il était n'importe quelle heure, un fameux beau jour du mois d'août.

À un moment, inopportun lorsque l'on suit une route si pittoresque, j'ai aperçu de vulgaires cônes de plastique rouge et un panneau routier, orange brûlé, me condamnant, avec une flèche des plus résolues, à un « détour ». Qui n'a pas connu de ces mauvais épisodes de voyage, de ces déviations forcées l'ayant détourné dans des chemins de Caïn, de terre graveleuse, réservant des mauvaises surprises ?

Devant moi, au-delà les indications se multipliant à mesure que j'approcherais de l'embranchement que j'allais être forcé de prendre, j'ai eu devant les yeux une imposante machinerie et une multitude d'ouvriers s'affairant aux pieds de caissons de bois retenant du ciment fraîchement coulé d'où dépassaient des tiges de fer : on construisait un pont.

En saison estivale, les chantiers routiers sont chose commune. Aussi bien s'y faire, d'autant que le ministère concerné annonce qu'il y en aura pas moins 1075 en 2008 ! Je devrai donc m'armer de toutes les patiences en parcourant la belle province en quête de municipalités à « chroniquer » dans cette page. Il n'est pas dit, cependant, que chaque déviation imposée sera un parcours misérable.

Ainsi, cette journée idyllique où j'ai dû contourner un pont en construction m'a donné l'occasion d'une inoubliable découverte.

Le chemin qu'il m'a fallu emprunter m'a fait longer la rivière Belle-Isle à Deschambault et m'a mené au Moulin de La Chevrotière, un authentique bâtiment du patrimoine, avec ses murs de vieilles pierres et son toit en pignon, très élevé et percé de deux rangées de lucarnes.

Bien sûr que je m'y suis arrêté, c'est un musée. Un musée des seigneuries dont il permet de revivre l'époque et qui offre à la curiosité des visiteurs les vestiges iroquois découverts, en 1981, par des archéologues perspicaces. C'est aussi un lieu où l'on raconte plusieurs aventures navales de notre histoire et où une collection de portes anciennes, vedettes d'un documentaire qui en relate la fabrication, est d'un étonnant intérêt.

À Deschambault, on sait se souvenir. Tellement que, lorsque le gouvernement du Québec a adopté sa charte de conservation du patrimoine québécois, il l'a titrée *La déclaration de Deschambault*. Il faut dire que le patrimoine historique de ce village (qui fait partie de la même municipalité – créée en 2002 – que Grondines, situé à 10 kilomètres environ) est plus qu'imposant. Il se compose, entre autres, d'une église (1835) que l'on dit être la plus parfaite réalisation de l'architecte fameux, Thomas Baillairgé ; d'un vieux presbytère, érigé en 1816 et classé monument historique en 1965 (aujourd'hui centre communautaire et culturel, où se tient la Biennale du lin de Portneuf) ; de la maison de la veuve Groleau, et celles des capitaines Perrot et Nelson-Sewel ; du vieux couvent de Deschambault, ainsi que du magasin général Paré, un des plus anciens (1861) du genre au Canada, aujourd'hui converti en musée d'antiquités.

J'ai eu le plaisir de visiter ces endroits témoins de notre histoire et j'en garde un souvenir fortement marqué par l'envie d'y revenir. Je n'oublie surtout pas que je dois ces moments privilégiés à la construction du nouveau pont de la rivière Belle-Isle qui m'a forcé à ce détour dans le temps.

Cela me réconcilie un peu avec les déviations, les contournements et autres crochets auxquels, souvent, nous obligent les voyages en voiture.

La Grosse-Île

L'île des quarantaines

Les événements ramènent parfois des expressions que l'on croyait désuètes parce qu'on ne les utilise guère plus ou parce qu'elles désignent à présent des réalités moins affligeantes. Quand même, à les entendre ou à les lire, il nous revient souvent des pans d'histoire, des noms de lieux susceptibles de nous faire encore frémir.

Ainsi le terme « quarantaine », invoqué récemment devant la menace d'une pandémie de grippe A (H1N1). Lorsqu'on connaît l'archipel de l'Isle-aux-Grues, aussi appelé archipel de Montmagny, composé de 21 îles situées au milieu du fleuve entre la pointe nord-est de l'île d'Orléans et la municipalité de L'Islet, le mot nous fait immédiatement penser à l'une d'elles (la seule qui soit accessible avec l'Isle-aux-Grues) : la Grosse-Île.

En 1832, alors qu'une épidémie de choléra attaquait l'Europe, les autorités britanniques en firent un lazaret, ou station de quarantaine. Le but était de s'assurer que toute personne en provenance des « vieux pays », et possiblement porteuse du virus mortel, ne puisse contaminer qui que ce soit en sol canadien.

La prise de possession de l'île, alors propriété d'un nommé Louis Gauvreau, qui l'avait cédée en location au fermier Pierre de Dublin, s'effectua par le débarquement des troupes du 32e Régiment. Les militaires étaient accompagnés de civils (des ouvriers surtout) et du premier directeur de la station, le Dr Griffin. Sitôt débarqués, ils se mirent en frais pour construire bâtiments de désinfection, maisons, abris de toutes sortes, ainsi que deux chapelles, l'une catholique, l'autre protestante. Une fois les choses mises en place, toute une population – des gardiens, des policiers, un boulanger, un télégraphiste, des préposées à la désinfection, une institutrice, un maître de poste, des charretiers et des journaliers – vint s'y installer à son tour pour travailler au bon fonctionnement des activités sanitaires.

Pendant les 15 années qui suivirent, plus de 35 500 immigrants durent séjourner sur la Grosse-Île. On imagine aisément l'arrivée de ces exilés, le regard fixé sur l'île où ils allaient devoir séjourner 40 jours avant de pouvoir mettre les pieds sur le continent. Venus avec l'espoir sans limites d'une vie décente, loin de leur misère et de la certitude désespérée d'être sans lendemain, voilà qu'ils aboutissaient au milieu du Saint-Laurent comme au milieu de nulle part. Heureusement pour eux, la nature est maternelle : elle leur offrit de belles saisons, des récoltes généreuses et, certainement, de beaux couchers de soleil…

Après les vagues d'Européens fuyant le choléra, ce fut, à partir de 1832, celles des Irlandais qui s'échouèrent sur les rives de l'île. La famine étranglait alors leur pays et, comme si cette calamité n'avait pas été suffisante à leur malheur, le typhus y faisait rage. Aussi débarquèrent-ils par milliers – en 1847 seulement, on n'en dénombra pas moins de 68 000 ! – après avoir voyagé dans des conditions inimaginables. À bord de 441 navires, ils mirent entre 6 et 9 semaines pour traverser l'océan et 5000 d'entre eux périrent en mer. On rapporte en outre qu'à leur arrivée, le Dr George Mellis Douglas et son équipe retirèrent 2200 cadavres des bateaux !

La station de quarantaine resta en opération jusqu'en 1937, alors que les services d'immigration furent centralisés au Port de Québec. Entre-temps, les Anglais avaient cédé tous leurs droits dans la Grosse-Île, qui devint un centre de recherche sur les maladies animales.

Depuis, les lieux sont passés sous l'égide de Parcs Canada qui y accueille les visiteurs. Plusieurs bâtiments de l'héroïque et tragique époque de l'immigration irlandaise leur sont ouverts, plus particulièrement le Lazaret, qui servit d'hôpital aux victimes du typhus.

Le 15 août 2009, on a souligné le centenaire de l'érection de la croix celtique dressée en hommage aux Irlandais décédés sur l'île; plusieurs autres activités commémoratives ont été offertes du 1er mai au 27 septembre.

Pour se rendre sur les lieux, il faut prendre le traversier des Croisières Lachance, au quai de Montmagny.

Comme le temps qui a chassé de nos émotions l'époque cruelle des immigrations du XIXe siècle sur la Grosse-Île, nous avons oublié la menace d'épidémie qui, venue du Mexique, a finalement vite perdu du souffle.

LE 400e DE QUÉBEC
Un anniversaire qui en contient un autre…

Il y a, dans les anniversaires, l'histoire de tous ceux qui les ont précédés. Et comme il en est de la mémoire, l'histoire aussi peut oublier…

Heureusement, le temps ne tourne pas complètement le dos au passé ; sa présence ne cesse de s'imposer, de nous accompagner. À Québec, son évocation constitue la belle part de la ville. Cette réalité quotidienne nous porte au souvenir. Grâce au travail des historiens, les détails et les acteurs d'événements composant la chronique deviennent des éléments probants qui finissent par former un tout indissociable.

Ainsi, avant le 400e anniversaire de la fondation de Québec, il y aura d'abord eu le 300e. À l'époque, religion et politique se disputaient le devant de l'histoire, et l'on commémorait les grands moments et les grands hommes au moyen de monuments élevés en leur honneur.

En cette année 1908, le maire Jean-Georges Garneau (1906-1910) avait mandaté un comité pour souligner convenablement le 300e anniversaire de la fondation de Québec. De son côté, la Société Saint-Jean-Baptiste avait lancé un projet tout aussi patriotique : le dévoilement d'un monument, déjà exécuté par le sculpteur Louis-Philippe Hébert, à la mémoire de Mgr de Laval, dont on célébrerait le 200e anniversaire de sa mort.

Il semblait aller de soi que l'on confonde les deux événements, ce qui aurait permis de cumuler moyens et budgets et de présenter des cérémonies beaucoup plus fastueuses. La proposition en fut donc faite par le maire Garneau, au nom, argumenta-t-il, de l'ensemble des citoyens de la ville, au comité Laval... qui la rejeta.

Pour les promoteurs du monument rendant hommage au premier évêque de Québec, il s'agissait d'événements dissemblables et séparés d'un siècle, événements qu'il ne fallait pas associer de crainte que chacun y perde de son importance. Revenant à la charge, Jean-Georges Garneau invoqua que la coordination des deux anniversaires intéresserait un public beaucoup plus nombreux.

Rien n'y fit.

Lorsque furent arrêtées les dates pour chacune des deux commémorations, soit le 22 juin pour l'inauguration du monument et le 24 juillet pour les célébrations de la fondation de Québec, le maire suggéra à nouveau que l'on intègre le bicentenaire religieux au tricentenaire laïc. En vain : Mgr O. E. Mathieu, porte-parole du comité Laval et recteur de l'université du même nom, se dit désolé de ne pouvoir déplacer la cérémonie du dévoilement, son devoir étant, allégua-t-il, de protéger le caractère essentiellement religieux et national de cette célébration contre celle, civile, profane, canadienne et impériale, qui avait été conçue en l'honneur de Champlain !

C'est ainsi que le dimanche 22 juin 1908, pas moins de 100 000 personnes envahirent les rues de la Haute-Ville et la place de la basilique pour former une procession qui, avec un panache jamais égalé, parcourut pendant deux heures plus de cinq kilomètres de rues au son entraînant des cloches de toutes les paroisses de la ville. Et le lendemain, ce fut, au dire même des chroniqueurs, « l'apothéose Laval » : son monument, dressé au sommet de la rue de la Montagne, précisément devant le palais archiépiscopal, fut dévoilé en toute liesse à la foule massée dans le parc Montmorency.

Quelques semaines plus tard, le 24 juillet, les Québécois se regroupèrent cette fois à la place d'Armes où, en présence du prince de Galles et pendant que plusieurs vaisseaux de guerre anglais, français et américains mouillaient dans le port gréés de leurs plus beaux apparats, on entama une série de journées festives célébrant le 300e anniversaire de la fondation de leur ville.

L'histoire depuis a continué son parcours : en 2008, on célébrait donc le 400e anniversaire de la fondation de Québec et – l'aurait-on oublié ? – le 300e anniversaire de la mort de Mgr de Laval.

Suivez les Éditions de l'Homme sur le Web

Consultez notre site Internet et inscrivez-vous à l'infolettre pour rester informé en tout temps de nos publications et de nos concours en ligne. Et croisez aussi vos auteurs préférés et l'équipe des Éditions de l'Homme sur nos blogues!

www.editions-homme.com

Achevé d'imprimer au Canada
sur papier Enviro 100% recyclé
sur les presses de Imprimerie Lebonfon Inc.